Fundamentos Bíblicos

Volumen 3

Autoridad y rendición de cuentas
La perspectiva de Dios en cuanto a las finanzas
Llamados a ministrar
La Gran Comisión

por Larry Kreider

Publicaciones House to House
Lititz, Pennsylvania EE.UU.

Larry Kreider

Publicaciones House to House
Lititz, Pennsylvania, EE.UU.

Publicaciones House to House
11 Toll Gate Road, Lititz, PA 17543
Teléfono: 717.627.1996
FAX: 717.627.4004
Sitio Web: www.h2hp.com

ISBN 13: 978-1-886973-90-9
ISBN 10: 1-886973-90-3

Diseño e ilustraciones por Sarah Sauder

Dedicación

Dedico este libro a mi esposa LaVerne, a mi familia y a la familia DCFI en todo el mundo, con quien hemos tenido el privilegio de servir al Señor por casi treinta años. Este libro va también dedicado a toda persona que desee colocar sólidos cimientos espirituales en su vida. Y lo más importante de todo, está dedicado a Aquel que nos ha prometido que edificará Su vida en nosotros... nuestro Señor Jesucristo, a quien estoy eternamente agradecido. «Porque nadie puede poner otro fundamento que el que está puesto, el cual es Jesucristo». (1 Corintios 3:11, RV).

Agradecimientos

Doy gracias de una manera especial a mi editora y ayudante de redacción, Karen Ruiz, que hace una labor estupenda. Gracias también a los miles de creyentes de la familia DCFI en todo el mundo que han caminado con nosotros mientras aprendíamos estas verdades bíblicas fundacionales durante casi tres décadas de servicio conjunto. Hemos recorrido un largo trecho y aún seguimos aprendiendo a poner en práctica estas verdades básicas de la Palabra de Dios. Gracias a los muchos líderes espirituales del Cuerpo de Cristo en general, de muchas denominaciones distintas, que nos han ofrecido innumerables ideas espirituales que nos han ayudado a conformar este libro. Y un agradecimiento especial al equipo de líderes de DCFI con el que he tenido el honor de servir por más de 25 años, y que se ha esforzado incansablemente para proporcionarme tiempo para escribir este libro. ¡Es un gozo servir a nuestro Señor juntamente con ustedes!

Recomendaciones

La pasión de Larry Kreider por la iglesia que Jesucristo está edificando es multi-dimensional. Claramente, tal como indica este libro, además de ser un incendiario de la evangelización y emprendedor de la fundación de iglesias, el pastor Kreider es un líder que infunde verdad transformadora y vivificante en nuevos creyentes; afirma a discípulos consagrados para garantizar un desarrollo continuo del Reino de Dios y un sano crecimiento de la vida y testimonio del cristiano.

—Dr. Jack W. Hayford, Presidente, Iglesia Cuadrangular Internacional Canciller, The King's College y Seminario, Pastor Fundador, The Church on the Way

Con demasiada frecuencia en nuestras iglesias nosotros descuidamos los conceptos básicos. Por eso nosotros parecemos tener tales muchos a creyentes renacidos que son disfuncionales. Estoy eufórico que Larry Kreider fuertemente volvernos a los conceptos básicos. Sus libros causarán que usted comprenda lo que usted cree realmente y cómo trabaja fuera en vida diaria. ¡Larry ha proporcionado un nuevo tesoro maravilloso para el Cuerpo de Cristo!

C. Peter Wagner, Rector Instituto de Liderazgo de Wagner

Sumario

Libros de esta serie

Este es el primer libro en una serie de libros designados a ayudar a los creyentes a construir un sólido Fundamento Bíblico en sus vidas.

Volumen 1

1 Conozca a Jesucristo como Señor
El propósito de Dios para nuestras vidas a través de una relación personal con Jesús

2 La nueva manera de vivir
El verdadero arrepentimiento y fe hacia Dios

3 Bautismos del Nuevo Testamento
Cuatro bautismos incluyendo el bautismo en agua y el bautismo en el Espíritu Santo

4 Edifiquemos para la eternidad
La esperanza de la resurrección, la imposición de manos y el juicio eterno

Volumen 2

5 Vivir en la gracia de Dios
Aplicando la gracia de Dios en la vida cotidiana

6 Libres de la maldición
Cristo trayendo libertad en cada área de nuestras vidas

7 Aprendiendo a intimar con Dios
Cómo depender de nuestra relación con Jesucristo

8 ¿Qué es la Iglesia?
Encontrando nuestro lugar en la familia de Dios

Volumen 3

9 Autoridad y responsabilidad
Cómo responder al liderazgo y con los creyentes que Dios pone en nuestras vidas

10 La perspectiva de Dios en cuanto a las finanzas
Cómo quiere Dios que su pueblo administre el dinero

11 Llamados a ministrar
Cada cristiano ha sido llamado a servir

12 La Gran Comisión
El propósito de vivir en este planeta

Introducción

En la ciudad de Pisa, Italia, unos constructores habían puesto la primera piedra para un magnífico campanario. El material y trabajo invertido no tenían paralelo en toda la época del Renacimiento. De pronto, un terrible error apareció, una ligera «inclinación» se hizo notoria.

La falla de su cimentación paso a ser más importante que el brillante diseño de construcción. Desafortunadamente, la torre había sido edificada sobre un suelo pantanoso, a sólo 3 metros sobre el nivel del mar. Actualmente, la famosa «Torre Inclinada de Pisa» se ha ganado la reputación de ser una rareza de arquitectura.

En más de 30 años de ministerio, como joven obrero, pastor, líder y siervo, he visto acontecer el mismo panorama en la vida de nuevos creyentes alrededor del mundo. Muchos inician su naciente fe con gran celo, pero luego naufragan al golpearse en desalientos y problemas. Por todas partes hay jóvenes cristianos (suficientemente mayores para saberlo) que están levantando torres defectuosas, usando ladrillos de su propia habilidad, don y visión. Lamentablemente, sus fundamentos o cimientos son tan inestables como el suelo pantanoso bajo la Torre de Pisa. Cada uno de ellos, sin excepción, necesita un sólido fundamento bíblico para su nueva vida.

El fundamento de la fe cristiana se edifica sobre Jesucristo y su Palabra, la Santa Biblia. Estos *Fundamentos Bíblicos* incluyen las bases de la doctrina bíblica que necesitas para poner un sólido fundamento espiritual en tu vida.

Aquí exponemos las verdades fundamentales de la Palabra de Dios con ejemplos modernos para ayudarte a entender con facilidad las bases del cristianismo. Usa este libro para establecer una base sólida para tu vida; y si ya eres un cristiano maduro, este libro te pueden servir como excelente herramienta para discipular a otros.

Que este día su Palabra se haga vida en ti.

—Dios te bendiga, Larry Kreider

Como usar este recurso

Estudio personal

Léalo de principio a fin como un programa de estudio individual para construir un cimiento cristiano firme y desarrollar su madurez espiritual.

- Cada capítulo contiene un versículo clave para memorizar.
- Cada lectura incluye preguntas de reflexión personal.

Tiempo devocional diario

Úselo en su tiempo devocional para un estudio diario de la Palabra de Dios.

- Cada capítulo está dividido en 7 secciones para cada día de la semana.
- Cada día incluye preguntas para reflexionar.

Mentor y consejero

Úselo para ser mentor, (padres espirituales) para estudiar, orar y debatir juntos principios para la vida.

- El maestro estudia el material de los capítulos y enseña.

Estudios para grupos pequeños

Estudie estos importantes fundamentos Bíblicos en un contexto de grupo pequeño.

- El maestro estudia el material de los capítulos y enseña.

Enseñe como un curso de fundamentos Bíblicos

Estas enseñanzas pueden ser impartidas por un pastor u otro líder cristiano como curso básico de fundamentos bíblicos.

- Los alumnos deben leer una porción asignada.
- En la clase, el maestro enseña el material asignado.

Fundamentos Bíblicos 9

Autoridad y rendición de cuentas

CAPÍTULO 1

Cómo entender el temor del Señor y la autoridad

Versículo clave para memorizar

El temor de Jehová es el principio del conocimiento...
(Proverbios 1:7)

Día 1

El temor de Dios nos lleva a obedecer

En el Antiguo Testamento encontramos que Jonás fue un profeta desobediente. El Señor Dios lo llamó para que fuera a la malvada ciudad de Nínive y advirtiera al pueblo acerca del inminente juicio que vendría sobre ellos. Pero Jonás sabía que su Dios era un Dios compasivo. Por eso se imaginó que la gente de Nínive se arrepentiría y evitaría el castigo —aunque en verdad él no quería que Dios tuviera misericordia de cualquier otra nación que no fuera Israel—. Así que, en lugar de obedecer, se subió a un barco que iba en dirección opuesta a Nínive.

Durante el viaje, el Señor envió una gran tormenta que amenazó con destruir la nave. Los marineros estaban muy asustados mientras clamaban a sus dioses paganos. En medio de la confusión alguien encontró a Jonás dormido. Entonces el capitán dijo a Jonás: «¿Qué haces durmiendo? ¡Levántate y clama a tu Dios; tal vez él se fije en nosotros para que no perezcamos!» Aunque los marineros no creían en el Dios verdadero, eran hombres espirituales y creían en las cosas sobrenaturales. Echaron suertes para ver si alguien que estaba a bordo era la causa de la tormenta. La suerte cayó sobre Jonás. Jonás confesó... *«—Soy hebreo y temo a Jehová, Dios de los cielos, que hizo el mar y la tierra firme»* (Jonás 1:9 RV).

Jonás se sintió culpable por haber desobedecido a Dios, poniendo en peligro la vida de los marineros. Entonces les ordenó que lo arrojaran al mar para calmar el embravecido mar. Después de repetidos intentos de llevar el barco a tierra los marineros echaron a regañadientes a Jonás al mar. Inmediatamente el mar se calmó. *Al ver esto, se apoderó de ellos un profundo temor al Señor, a quien le ofrecieron un sacrificio y le hicieron votos.* (Jonás 1:16).

Estos hombres comprendieron en aquel momento lo que es *el temor del Señor*. El temor del Señor hace que la gente ponga su fe en él para asegurar su salvación. También los llevó a comprender que Dios juzga el pecado porque es un Dios santo. Necesitamos una comprensión exacta del *temor de Jehová*. Si lo entendemos, apreciaremos la necesidad de vivir una vida de obediencia a él.

Reflexión

En la historia de Jonás, ¿cómo difiere el temor de los marineros a sus dioses paganos, del verdadero temor de Dios que experimentaron en Jonás 1:16? ¿En qué consiste esa diferencia?

Día 2

El temor del Señor nos lleva a reverenciar a Dios

La Biblia nos dice en Proverbios 9:10 que si tenemos una profunda reverencia motivada por el amor a Dios vamos a adquirir sabiduría. El temor de Jehová es el principio del conocimiento...

Una clara comprensión del temor de Jehová consiste simplemente en quedarse absorto ante su poder y ante su divina presencia. Temer al Señor significa tenerle respeto y reverencia. Esto ocurre cuando entendemos que servimos a un Dios todopoderoso. Sabemos que el Padre celestial nos ama de una manera perfecta y quiere lo mejor para nuestras vidas. Es el mismo Dios que creó el universo y tiene todo el poder y la autoridad en sus manos. Como cristianos poseemos un «*santo temor*» que nos hace temblar ante la Palabra de Dios. «*Fue mi mano la que hizo todas estas cosas; fue así como llegaron a existir*» —afirma el Señor—«*Yo estimo a los pobres y contritos de espíritu, a los que tiemblan ante mi palabra*» (Isaías 66:2).

Esto no significa que Dios quiere que nos escondamos en un rincón. Eso no es lo que el Señor nos dice. Él no desea que sus hijos le tengan miedo sino que lo honren y lo respeten. La Palabra nos dice que *el amor perfecto echa fuera el temor* (1 Juan 4:18). Es decir, que donde está el perfecto amor de Dios no puede habitar el miedo. Esto significa también que donde hay miedo, hay ausencia de amor. En consecuencia, si amamos a Dios sentiremos un deseo inmenso de obedecerle, porque el temor de Dios implica un temor a pecar y enfrentar las consecuencias. Me crié con un padre terrenal que me amaba. Nunca le tuve miedo. Sin embargo, cuando yo era desobediente temía las consecuencias de la disciplina. Él me disciplinaba porque me amaba. Nuestro Padre Celestial nos disciplina porque nos ama. Él odia el pecado.

Recuerde que nuestro Señor tiene completa autoridad sobre toda la creación. Pídale la gracia de experimentar *el temor de Dios* en su vida. ¡Espere quedar anonadado ante su presencia!

Reflexión

Si Dios no quiere que tengamos temor de él, ¿de qué tipo de «temor» estamos hablando?

Día 3

El temor de Dios nos lleva a apartarnos del mal

Cuando tenemos un sano temor de Dios no queremos pecar contra él. *Quien teme al Señor aborrece lo malo* (Proverbios 8:13). Sabemos que si pecamos contra un Dios santo tendremos que sufrir las consecuencias de la desobediencia. Aunque somos concientes de que nuestro Dios no tiene un gran garrote para castigarnos y esta a la espera de que cometamos un error, estamos seguros de que Él castigará nuestro pecado.

La Biblia nos dice en Hechos 9:31 que la iglesia del Nuevo Testamento entendía lo que significaba *caminar en el temor del Señor*. Cuando tenemos una comprensión adecuada del temor de Dios aborrecemos el mal porque el mal desagrada al Señor y destruye el pueblo de Dios. «*¿No saben que los malvados no heredarán el reino de Dios? ¡No se dejen engañar! Ni los fornicarios, ni los idólatras, ni los adúlteros, ni los sodomitas, ni los pervertidos sexuales, ni los ladrones, ni los avaros, ni los borrachos, ni los calumniadores, ni los estafadores heredarán el reino de Dios. Y eso eran algunos de ustedes. Pero ya han sido lavados, ya han sido santificados, ya han sido justificados en el nombre del Señor Jesucristo y por el Espíritu de nuestro Dios.*» (1 Corintios 6:9-11). En otras palabras, los verdaderos cristianos no viven una vida de pecado. La buena noticia es ésta: cuando nos arrepentimos y nos convertimos de nuestros pecados, el Señor Jesús nos limpia completamente. Entonces el «temor de Dios» nos impide volver a nuestra antigua manera de vivir.

Hay muchos ejemplos del temor del Señor en el Nuevo Testamento. Después de que Ananías y Safira mintieron al Espíritu Santo y cayeron muertos, Dios hizo que el temor del Señor aumentara en los creyentes. «*Y un gran temor se apoderó de toda la iglesia y de todos los que se enteraron de estos sucesos.*» (Hechos 5:11).

En Apocalipsis 1:17, el apóstol Juan tuvo un encuentro con Dios. «Cuando lo vi, caí a sus pies como muerto. Luego puso su mano derecha sobre mí y dijo: *No tengas miedo. Yo soy el Primero y el Último.*» Nuestro temor del Señor no es un miedo destructivo sino un respeto que nos lleva ante la presencia y pureza de Dios. Cuando entendemos y experimentamos el temor del Señor aborrecemos el pecado y nos apartamos de él. Vamos a confiar en que el Señor Jesús nos lava, nos limpia y nos hace nuevas criaturas.

Reflexión

¿Qué es lo que aborrecemos cuando tenemos un sano temor de Dios, de acuerdo a Proverbios 8:13? ¿A qué nos lleva el temor de Dios?

Día 4

¿Por qué pone Dios autoridades sobre nuestras vidas?

El Señor ha elegido hombres y mujeres para delegar su autoridad en las diversas áreas de la vida. Siempre habrá personas que tienen autoridad sobre nosotros en el gobierno, en nuestro trabajo, en la iglesia y en nuestra familia. Si entendemos *el temor del Señor* de una manera adecuada, comprenderemos por qué Dios puso autoridades en las diversas esferas de nuestra vida. El Señor delega autoridad en algunas personas (jueces, maestros, gobernantes, padres de familia, etc.) para moldear nuestra conducta y estructurar nuestras vidas. Si nos oponemos a estas autoridades, las Sagradas Escrituras nos advierten que nos estamos oponiendo a Dios y acarreando juicio sobre nosotros mismos.

En la Carta a los Romanos 13:1-4a dice: «*Todos deben someterse a las autoridades públicas, pues no hay autoridad que Dios no haya dispuesto, así que las que existen fueron establecidas por él. Por lo tanto, todo el que se opone a la autoridad se rebela contra lo que Dios ha instituido. Los que así proceden recibirán castigo. Porque los gobernantes no están para infundir terror a los que hacen lo bueno sino a los que hacen lo malo. ¿Quieres librarte del miedo a la autoridad? Haz lo bueno, y tendrás su aprobación, pues está al servicio de Dios para tu bien. Pero si haces lo malo, entonces debes tener miedo. No en vano lleva la espada, pues está al servicio de Dios para impartir justicia y castigar al malhechor.*»

Las autoridades han sido colocadas sobre nosotros por voluntad de Dios. Por ejemplo, los oficiales de policía y los funcionarios del gobierno son ministros de Dios, aunque ellos no lo sepan. Esto no significa que ellos sean siempre obedientes y temerosos de Dios en todo tiempo. Sin embargo, Dios los ha puesto sobre nuestras vidas y quiere que les respondamos de forma piadosa. Si estamos conduciendo un auto y un oficial de la policía aparece en una intersección y levanta la mano, debemos detenernos a causa de su autoridad. No es una autoridad personal sino *la autoridad del gobierno que él representa.* Si desobedecemos al policía, estamos desobedeciendo al gobierno, porque este oficial también esta bajo autoridad del gobierno.

Una comprensión correcta de la autoridad dará seguridad a nuestras vidas. Las Escrituras nos enseñan que *«... En una época no había rey en Israel y cada uno hacía lo que le parecía mejor.»* (Jueces 21:25). Así entendemos que cuando no hay autoridad, hay caos. En la historia del pueblo de Dios ocurrió una gran confusión cuando no se había establecido la autoridad. En esos días Israel no tenía rey y todos hacían lo que les parecía. Pero sabemos que la sociedad no tolera el caos. Siempre se necesita alguna forma de gobierno o estructura de autoridad. Si no tenemos una estructura de autoridad piadosa, este vacío hará que se establezca una autoridad impía.

Dios delega su autoridad a los hombres y las mujeres que él elige. Pero los que tienen autoridad deben estar sumisos a otra autoridad superior, o se convierte en tiranos. Una vez escuché la historia de un sargento del ejército que adoraba su autoridad y gozaba diciendo a sus hombres que obedecieran sus órdenes. Cuando se retiró del ejército trató de aplicar el mismo principio de autoridad en su ciudad natal y comenzó a gritarle al empleado de una tienda, al mensajero y al mozo del restaurante. Esta actitud causó el rechazo de toda la gente del pueblo. El ex-sargento comprendió entonces que ya no tenía «aquella autoridad» porque él ya no estaba en la estructura de la autoridad militar.

Si no nos colocamos bajo la autoridad de Jesucristo no tendremos autoridad para rechazar al diablo porque él no tiene razón para someterse a nuestra autoridad. Por el contrario, cuando estamos sometidos a la autoridad de Dios, el diablo huirá. Recuerde que la autoridad proviene de Dios. Él es la fuente de toda autoridad.

Reflexión

¿Quiénes son las autoridades que gobiernan su vida? Haga una lista de las personas y situaciones que usa el Señor para moldear, adaptar y estructurar su vida.

Día 5

¿Qué significa someterse a la autoridad?

El Señor Dios ha establecido algunas autoridades delegadas que sirven para protegernos, moldearnos y ayudarnos para llegar a ser conformes a la imagen de Cristo. Esta es una dura lección que algunos se niegan a aprender. Pero Dios sabe cuánta falta nos hace una autoridad en nuestra vida. Recuerdo el caso de un joven que no estaba dispuesto a someterse a la autoridad de sus padres y decidió ingresar al ejército. ¿Sabe qué sucedió? ¡Allí aprendió lo que es la autoridad!

¿Qué significa «someterse a la autoridad?» La palabra *someterse* significa *ceder, rendir, entregar, rendirse a la autoridad de otro*. La *sumisión* (acto de sometimiento) es una actitud del corazón mediante la cual uno desea obedecer a Dios y las autoridades humanas que él ha puesto en nuestras vidas.

La palabra autoridad implica un derecho de mandar o actuar. En otras palabras, es el derecho dado por Dios a algunos hombres y mujeres para construir, moldear y corregir la vida de otras personas. Dios delega su autoridad en una persona a la que ha dado la responsabilidad de moldear nuestra vida. En nuestro lugar de trabajo la autoridad es nuestro empleador; en nuestro hogar son los padres; y en el Cuerpo de Cristo son los ancianos y pastores de nuestra iglesia. El apóstol Pablo recuerda a los creyentes en Tito 3:1 que es importante ser obediente a las autoridades. Recuérdeles a las personas que deben someterse a las autoridades y estar dispuestas a obedecer y hacer lo bueno.

La sumisión a la autoridad no es un tema aceptable hoy en día. Los trabajadores se rebelan contra sus empleadores, los alumnos contra sus profesores y los niños contra sus padres. Pero el Señor quiere restaurar una comprensión adecuada del *temor de Dios* que es la fuente de la sumisión a cualquier autoridad. Si no aprendemos a someternos a las autoridades que el Señor ha puesto en nuestras vidas, le desobedecemos a Dios quien ha colocado estas autoridades sobre nosotros.

La sumisión a la autoridad parece algo tonto para muchas personas, «*Pero Dios escogió lo insensato del mundo para avergonzar a los sabios, y escogió lo débil del mundo para avergonzar a los poderosos.*» (1 Corintios 1:27). Cuando me opongo a cualquier autoridad que el Señor haya puesto en mi vida—padres, empleadores, la policía, la autoridad de la Iglesia, etc.— estoy realmente oponiéndome a Dios. A menos, por supuesto, que la autoridad me pida hacer algo que vaya en contra de la Palabra de Dios. (Vea el Capítulo 2, Día 4). Les dije una vez a ciertos jóvenes: «Cuando sus padres les pidan que lleguen antes de la media noche, o cuando su empleador les pida que lleguen al trabajo a tiempo, piensen que el Señor Dios está utilizando a sus padres y empleadores para moldear su carácter en semejanza de Cristo. Si ustedes no obedecen, tendrán que aprender las mismas lecciones una y otra vez».

Reflexión

¿Qué significa autoridad? ¿De qué manera está oponiéndose a Dios si se opone a la autoridad en su vida?

Día 6

La obediencia es mejor que el «sacrificio»

Dios demanda obediencia a su Palabra. En el primer libro de Samuel 15:22-23, el rey Saúl se rebeló y desobedeció las instrucciones claras de Dios, puso su percepción de lo que era justo para él, por encima de lo que Dios le ordenó. A Saúl se le había mandado esperar hasta que el profeta Samuel llegara a ofrecer un sacrificio. Sin embargo, Saúl temía a la gente más que a Dios, y ofreció el sacrificio. La advertencia del profeta Samuel fue muy directa: «*¿Qué le agrada más al Señor: que se le ofrezcan holocaustos y sacrificios, o que se obedezca lo que él dice? El obedecer vale más que el sacrificio, y el prestar atención, más que la grasa de carneros. La rebeldía es tan grave como la adivinación, y la arrogancia, como el pecado de la idolatría...*»

Obedecer de corazón es mejor que presentar «sacrificios» a Dios. La rebelión (desobediencia) es considerada igual al pecado de brujería. La Biblia nos dice que un espíritu malo atormentaba al rey Saúl (1 Samuel 16:14) y de esta manera comprendemos que la rebelión de Saúl permitió que un espíritu maligno entrara y lo atormentara por el resto de su vida. Saúl se negó a caminar *en el temor del Señor*.

A menos que aprendamos a someternos a las autoridades que el Señor ha puesto en nuestras vidas, no podremos responder cuando Dios nos delegue autoridad sobre otras personas. Los niños que no obedecen a sus padres crecen con una incompleta comprensión de la autoridad. A menudo serán dominantes con sus hijos y no podrán mostrarles la verdadera autoridad. Si esto ocurre, es posible que el Señor nos lleve a pedir perdón a la persona o personas que hemos deshonrado. Desobedecer a la autoridad es deshonrarla. Nuestra confesión sincera puede romper la atadura de la rebelión y la terquedad que está dominando nuestras vidas.

Reflexión

¿Qué hizo Saúl para que Dios se disgustara tanto? Explique la frase: «La obediencia es mejor que el sacrificio.»

Día 7

La autoridad delegada nos moldea

Las autoridades que el Señor ha puesto en nuestras vidas no son perfectas. No nos sometemos a las autoridades porque sean perfectas sino porque el Señor es quien las ha puesto. Recuerdo mi problema con un empleador cuando yo era joven. No me gustaba la actitud de mi empleador. Sin embargo, me sometía a él porque era mi jefe. Gracias a Dios he aprendido que es una gran bendición obedecer a cualquier autoridad.

Dondequiera que vayamos, una de las primeras preguntas que deberíamos hacernos es: «¿A quién ha puesto el Señor como autoridad sobre mí en este lugar?» Las personas que están verdaderamente bajo la autoridad de Dios pueden someterse sin temor porque comprenden que todas las autoridades han sido delegadas por el Señor. En el Evangelio de San Lucas 17:7-10 se nos explica esta delegación de autoridad. «*Supongamos que uno de ustedes tiene un siervo que ha estado arando el campo o cuidando las ovejas. Cuando el siervo regresa del campo, ¿acaso se le dice: «Ven en seguida a sentarte a la mesa?» ¿No se le diría más bien: «Prepárame la comida y cámbiate de ropa para atenderme mientras yo ceno; después tú podrás cenar?» ¿Acaso se le darían las gracias al siervo por haber hecho lo que se le mandó? Así también ustedes, cuando hayan hecho todo lo que se les ha mandado, deben decir: «Somos siervos inútiles; no hemos hecho más que cumplir con nuestro deber.»*

Observe cómo este siervo, después de haber trabajado durante todo el día, vino del campo y se puso a preparar la comida para su amo. ¿Su amo se lo agradeció? No, porque esa era la responsabilidad del siervo. Él tenía una clara comprensión de la autoridad. De la misma manera, las personas seguras no tienen ningún problema para someterse a las autoridades que el Señor ha puesto en sus vidas.

Tenemos la responsabilidad de someternos a las autoridades. El Señor va moldeando nuestro carácter a medida que aprendemos este importante principio de la autoridad. He visto que esto sucede una y otra vez cuando alguien no se somete a su empleador. En la mayoría de los casos esa persona cambia de trabajo pero sigue con el mismo problema porque el problema no reside en el empleador. El Señor utiliza las autoridades delegadas para moldearnos y así llegar a desarrollar en nosotros el carácter de Cristo. Entonces podremos llegar a ser buenas autoridades para las personas que él ponga en nuestras manos.

Reflexión

Póngase en el lugar del siervo en esta historia. ¿Cuál sería su actitud?

CAPÍTULO 2

Autoridad delegada en el gobierno, en el lugar de trabajo, en la familia y la iglesia

Versículo clave para memorizar

«... pues no hay autoridad que Dios no haya dispuesto...Por lo tanto, todo el que se opone a la autoridad se rebela contra lo que Dios ha instituido.»
Romanos 13:1-2

Día 1

Cómo se honra la autoridad en el gobierno

En este capítulo vamos a considerar cuatro áreas en las que Dios ha delegado su autoridad a hombres y mujeres. Estas cuatro áreas incluyen el gobierno, el lugar de trabajo, la familia y la iglesia.

En primer lugar, consideremos la autoridad del gobierno. En el *mundo caído* en que vivimos necesitamos orden y restricciones para protegernos del caos. Es por eso que Dios prescribió el gobierno. Según la Carta a los Romanos 13:1-2, «*Todos deben someterse a las autoridades públicas, pues no hay autoridad que Dios no haya dispuesto, así que las que existen fueron establecidas por él. Por lo tanto, todo el que se opone a la autoridad se rebela contra lo que Dios ha instituido...*»

Los cristianos obedecemos a las autoridades públicas porque Dios las instituyó. El apóstol Pablo dice en la Carta a los Romanos 13:5-7 que debemos estar sujetos a las autoridades, no por miedo del castigo sino porque han sido puestas por Dios. Pero además, necesitamos tener una conciencia limpia para obedecer: «*Así que es necesario someterse a las autoridades, no sólo para evitar el castigo sino también por razones de conciencia. Por eso mismo pagan ustedes impuestos, pues las autoridades están al servicio de Dios, dedicadas precisamente a gobernar. Paguen a cada uno lo que le corresponda: si deben impuestos, paguen los impuestos; si deben contribuciones, paguen las contribuciones; al que deban respeto, muéstrenle respeto; al que deban honor, ríndanle honor.*»

Esta porción de la Escritura nos dice que si nos quejamos por el pago de los impuestos nos estamos quejando de la autoridad que el Señor ha puesto en nuestras vidas. A veces tendemos a hablar de una manera negativa de las autoridades —de los policías, por ejemplo. ¡Hacemos esto especialmente cuando nos ponen una multa por cometer una infracción de tránsito! Pero debemos recordar que los policías son, en cierta manera, ministros de Dios. Tenemos que referirnos a ellos con una actitud de sumisión y darles la honra que se merecen.

Daniel, el joven profeta del Antiguo Testamento, fue llevado a Babilonia como esclavo cuando tenía dieciséis años. Aun así, él vivía sumiso en el temor del Señor y era un hombre de oración. Aprendió a honrar a los gobernantes de Babilonia y fue nombrado primer ministro en tres administraciones diferentes.

Ya sea que las autoridades en nuestras vidas sean personas piadosas o impías, el Señor las ha puesto allí. Cierta vez el apóstol Pablo fue llevado ante un concilio religioso. El sumo sacerdote, Ananías, ordenó a los que estaban cerca de Pablo que lo golpearan en la boca. Pablo no se dio cuenta que Ananías era el sumo sacerdote y le respondió llamándolo «pared blanqueada» (Hechos 23:3). Los que estaban cerca le dijeron: «¿Cómo puedes insultar al sumo sacerdote de Dios?» Pablo se disculpó inmediatamente diciendo: —*Hermanos, no me había dado cuenta de que es el sumo sacerdote— respondió Pablo—; de hecho está escrito: «No hables mal del jefe de tu pueblo.»* (Hechos 23:5).

Aunque las autoridades en nuestra vida sean impías, el Señor nos ha llamado a tener una actitud de sumisión. Debemos honrarlas por su rango, y no por su conducta.

Reflexión

¿Por qué debemos tener cuidado de llamar a alguien «pared blanqueada»? ¿Por qué debemos honrar a las autoridades gubernamentales?

Día 2

Cómo se honra la autoridad en el lugar de trabajo

El segundo grupo de autoridades que el Señor ha puesto en nuestras vidas son nuestros empleadores y jefes. Pablo insta a los cristianos a que consideren su trabajo como un servicio al Señor. «*Esclavos, obedezcan en todo a sus amos terrenales, no sólo cuando ellos los estén mirando, como si ustedes quisieran ganarse el favor humano, sino con integridad de corazón y por respeto al Señor. Hagan lo que hagan, trabajen de buena gana, como para el Señor y no como para nadie en este mundo, conscientes de que el Señor los recompensará con la herencia. Ustedes sirven a Cristo el Señor.*» (Colosenses 3:22-24). En otras palabras, nuestro verdadero empleador es el Señor Jesucristo. Tenemos que considerar nuestros trabajos como una ocasión para servirle al Señor. Si trabajamos bien sólo cuando el jefe está cerca, seguramente tenemos un problema.

Tengo un amigo que trabajaba en un restaurante especializado en *bistecs.* El se sometió a su jefe como la autoridad que el Señor había puesto sobre él. Los dueños y administradores quedaron tan impresionados con su actitud que quisieron contratar a otros amigos cristianos. Al cabo de un corto tiempo la mayoría de los empleados del restaurante eran cristianos. ¿Por qué? Porque este joven tuvo una actitud de sumisión ante la autoridad de sus jefes.

El Señor nos ha llamado a trabajar con entusiasmo en nuestros trabajos. Es fácil someternos cuando nos damos cuenta de que lo estamos haciendo para el Señor. ¡Al hacerlo para el Señor recibimos pago por servirle en nuestro lugar de empleo!

Reflexión

¿Cómo estamos trabajando? ¿Trabajamos para el empleador o para el Señor Jesucristo? ¿Cuál debe ser nuestra actitud hacia nuestros empleadores?

Día 3

Cómo utiliza Dios a los empleadores en nuestras vidas

Si su jefe es cristiano, no piense que él le concederá favores extras porque usted es creyente. Algunos cristianos piensan: «Mi jefe debe entender la razón por la que llego tarde al trabajo o la razón por la que soy lento. Él es cristiano.» Aunque él sea creyente, es necesario que su jefe use la autoridad que Dios le dio y que lo discipline para que pueda ser verdaderamente conformado a la imagen de Cristo. Veamos lo que dice la Palabra de Dios:

«Todos los que aún son esclavos deben reconocer que sus amos merecen todo respeto; así evitarán que se hable mal del nombre de Dios y de nuestra enseñanza. Los que tienen amos creyentes no deben faltarles al respeto por ser hermanos. Al contrario, deben servirles todavía mejor, porque los que se benefician de sus servicios son creyentes y hermanos queridos...». (1 Timoteo 6:1-2).

«Criados, sométanse con todo respeto a sus amos, no sólo a los buenos y comprensivos sino también a los insoportables. Porque es digno de elogio que, por sentido de responsabilidad delante de Dios, se soporten las penalidades, aun sufriendo injustamente. Pero ¿cómo pueden ustedes atribuirse mérito alguno si soportan que los maltraten por hacer el mal? En cambio, si sufren por hacer el bien, eso merece elogio delante de Dios. Para esto fueron llamados, porque Cristo sufrió por ustedes, dándoles ejemplo para que sigan sus pasos.» (1 Pedro 2:18-21).

Si llegamos tarde al trabajo, nuestro empleador tiene que disciplinarnos para que aprendamos a ser hombres y mujeres de Dios, disciplinados. Sin embargo, si hacemos un buen trabajo y nuestro empleador es áspero o crítico, entonces el Señor nos promete que Él nos recompensará. Tanto Jesús como Moisés aprendieron a someterse a la autoridad antes que el Señor los utilizara eficazmente. Jesús trabajó en el taller de carpintería antes de iniciar su ministerio (Marcos 6:3). Moisés cuidó las crías de las ovejas de su suegro durante 40 años y fue así como Dios lo preparó para que sacara a los hebreos de la esclavitud de Egipto (Éxodo 3).

El Padre celestial los preparó para enseñarles a tener un espíritu de sumisión a Dios y un espíritu de paciencia para con las personas a las cuales servían.

Reflexión

¿Cómo debemos actuar si somos disciplinados en el trabajo por un jefe cristiano por hacer algo equivocado? ¿De qué manera es Jesús nuestro ejemplo?

Día 4

Cómo se honra la autoridad en la familia

El Señor nos dio instrucciones para someternos a las autoridades que él ha puesto en nuestras vidas. Las familias constituyen otra área de sumisión. En la carta a los Efesios 6:1-4 dice: «*Hijos, obedezcan en el Señor a sus padres, porque esto es justo. Honra a tu padre y a tu madre —que es el primer mandamiento con promesa— para que te vaya bien y disfrutes de una larga vida en la tierra.*»

Y ustedes, padres, no hagan enojar a sus hijos, sino críenlos según la disciplina e instrucción del Señor.

Dios manda a los hijos que obedezcan a sus padres. A los obedientes les promete una larga vida. Los hijos que honran a sus padres serán bendecidos por Dios aquí en la tierra. Pero los padres también deben honrar a sus hijos. Se honra a los hijos mediante la provisión de sus necesidades y la instrucción en el Señor (Colosenses 3:21).

Algunos jóvenes me han preguntado si deben obedecer a sus padres cuando ellos no son cristianos y les piden que hagan algo contra la Ley de Dios. El libro de los Hechos 5:29a nos dice que — ¡*Es necesario obedecer a Dios antes que a los hombres*!»

Por lo tanto, si alguna autoridad nos pide hacer algo que es pecaminoso, ¡obedezcamos a Dios primero! Por ejemplo, Kako era una joven creyente cuyos padres budistas querían que ella continuara asistiendo y participando en sus rituales religiosos. Obviamente, Kako no podía seguir adorando a esos dioses falsos y se negó a hacerlo. Nuestra obediencia a cualquier autoridad debe basarse en la lealtad a Dios. Entonces, si los padres o cualquier otra autoridad nos piden hacer algo que está en contra de la Palabra de Dios, es necesario que obedezcamos a Dios primero. (Véase el capítulo 3, Día 5.)

Reflexión

¿Cuál es la promesa para los hijos que honran a sus padres? (Efesios 6:1-4) Según Hechos 5:29, ¿qué debemos hacer en caso de que una autoridad nos pida hacer algo que es contrario a la Palabra de Dios?

Día 5

Sométanse los unos a los otros en el hogar

Estar en «sumisión» es estar *bajo la autoridad de una persona que tiene responsabilidad sobre nuestras vidas*. En el trabajo, esa persona es nuestro empleador. En la escuela, esa persona es nuestro maestro. En un equipo de baloncesto estamos bajo la autoridad del entrenador. En la iglesia estamos bajo la responsabilidad del liderazgo espiritual. Y, en nuestros hogares, estamos bajo la responsabilidad de la cabeza de nuestro hogar.

Veamos cómo la sumisión mutua es un principio aplicado a las familias cristianas. «*Sométanse unos a otros, por reverencia a Cristo. Esposas, sométanse a sus propios esposos como al Señor. Porque el esposo es cabeza de su esposa, así como Cristo es cabeza y salvador de la iglesia, la cual es su cuerpo.*» (Efesios 5:21-23). De esta manera el Señor invoca a los esposos y a las esposas para que se sometan los unos a los otros. Dios quiere que los esposos y las esposas estén unidos en un solo equipo. Sin embargo, en un equipo siempre hay alguien que el Señor pone como el líder. La Biblia dice que el esposo es la cabeza de la esposa pero debe ejercer su liderazgo en amor y cuidado por su familia. El esposo tiene *la responsabilidad* de amar a su esposa de la misma manera que Jesucristo ama a su Iglesia hasta dar su vida por ella (Efesios 6:25).

Como líder del hogar, el esposo es responsable de tomar las decisiones finales en tiempos de crisis para proteger a su familia. Hace algunos años, mi esposa y yo debíamos decidir si enviábamos a nuestros hijos a una escuela cristiana. Oramos y hablamos tranquilamente de este asunto. La respuesta de mi esposa fue que yo, como cabeza del hogar, debía tomar la decisión. Ella confió en que el Señor me guiaría hacia la decisión correcta.

En los hogares divorciados queda un solo progenitor, pero el Señor da una gracia especial a aquellas madres y padres que no tienen cónyuge. La Biblia dice que nuestro Dios es *Padre de los huérfanos* (Salmo 68:5). El Señor también desea utilizar el cuerpo de Cristo (la iglesia local) para ayudar a esos padres solteros y madres solteras (Santiago 1:27).

Reflexión

¿Cómo los maridos y las esposas se someten entre sí? ¿Quién debería tomar el liderazgo en el equipo conformado por el esposo y la esposa? ¿Por qué?

Día 6

Cómo se honra la autoridad en la iglesia

La cuarta área de autoridad que el Señor delega a hombres y a mujeres se halla en la iglesia. Hebreos 13:17 dice: «*Obedezcan a sus dirigentes y sométanse a ellos, pues cuidan de ustedes como quienes tienen que rendir cuentas. Obedézcanlos a fin de que ellos cumplan su tarea con alegría y sin quejarse, pues el quejarse no les trae ningún provecho.*»

El Señor dispone autoridades espirituales en nuestra vida para que velen por nosotros *y den cuenta* al Señor de nuestra vida espiritual. Los ancianos y pastores de nuestra iglesia tienen responsabilidad en nuestra vida para dirigirnos, corregirnos y protegernos. Por eso es tan importante pertenecer a una iglesia local. Esto nos da protección espiritual.

El apóstol Pablo estaba siempre dispuesto a rendir cuentas ante los líderes espirituales que el Señor había puesto en su vida. Cuando Pablo y Bernabé fueron enviados desde la Iglesia de Antioquía a fundar iglesias en otras partes del mundo, regresaron a su iglesia local unos años después e informaron todo lo que había hecho el Señor por medio de ellos (Hechos 14:27-28).

Por instrucción de Dios debemos honrar a los líderes espirituales que el Señor ha puesto en nuestra vida de acuerdo con 1 Tesalonicenses 5:12-13: «*Hermanos, les pedimos que sean considerados con los que trabajan arduamente entre ustedes, y los guían y amonestan en el Señor. Ténganlos en alta estima, y ámenlos por el trabajo que hacen. Vivan en paz unos con otros.*»

Conozco algunas personas que dicen: «No estoy de acuerdo con mi pastor.» Lo primero que hago es animarlas a orar por la bendición y la sabiduría de Dios para sus líderes espirituales. Después de eso, las animo a que dialoguen en amor y recuerden que no pueden cambiar a sus líderes —ésta es responsabilidad de Dios. Si las diferencias persisten, quizás tengan que considerar otras dos alternativas— tal vez haya rebelión en sus vidas con las que tienen que lidiar o tal vez tengan que buscar membresía en otra iglesia.

El señor Jesús, cuando enseñó a sus discípulos acerca del liderazgo, les dio instrucciones de no ser como los gentiles cuando gobiernan a otros, sino actuar como siervos (Mateo 20:25-28). Jesús no estaba sugiriendo que los líderes espirituales no tengan responsabilidad para dirigir la iglesia, sino que su liderazgo debería ser el de un siervo. La autoridad espiritual y la actitud de servicio deben ir de la mano. Por ejemplo, Nehemías en el Antiguo Testamento era un hombre de autoridad, pero él no trataba despóticamente a la gente como los ex gobernadores (Nehemías 5:15). Era un siervo que andaba en el temor del Señor.

El llamado que el Señor hace a los líderes espirituales es el de ayudar a cada creyente a acercarse más a Jesús y aprender de Él. Dios nos ha llamado a tener una actitud de sumisión para con los líderes que ha puesto en nuestra vida. Hace algunos años escuché la historia de un niño pequeño que insistía en estar de pie sobre su silla durante la reunión en la iglesia. Cuando su padre lo tomó de la mano y lo obligó a sentarse, el niño miró a su padre y le dijo: «¡Podré estar sentado por fuera, pero estoy parado por dentro!» ¿Qué hacer en este caso? Dígale a sus hijos que al Señor le preocupa la actitud de nuestro corazón. La rebeldía tiene consecuencias funestas.

En resumen, estamos llamados a orar, apoyar, someternos y recurrir a nuestras autoridades espirituales. Hablaremos más sobre este asunto en el próximo capítulo. Del mismo modo, las autoridades espirituales —nuestros pastores y ancianos— deben orar por nosotros, enseñarnos, protegernos y corregirnos conforme lo necesitemos.

Reflexión

¿Cómo honramos a las autoridades espirituales en nuestra vida? ¿Qué cosas hacen nuestras autoridades espirituales por nosotros?

Día 7

El pecado en la vida de un líder espiritual

¿Qué sucede si un líder espiritual cae en pecado? No debemos someternos ciegamente a un líder que está en pecado. Debemos confrontarlo con base en 1 Timoteo 5:19-20: «*No admitas ninguna acusación contra un anciano, a no ser que esté respaldada por dos o tres testigos. A los que pecan, repréndelos en público para que sirva de escarmiento.*»

Si alguien con autoridad espiritual (anciano, pastor, líder de la célula, líder de la iglesia en las casas, etc.) peca —y su pecado se confirma públicamente—, los que tienen autoridad espiritual sobre esta persona son responsables de disciplinarla. La mayoría de las iglesias locales son parte de una gran «familia de iglesias», o una denominación. Los dirigentes de las iglesias tienen la responsabilidad, junto con los otros ancianos, de administrar la disciplina adecuada. De hecho, la Biblia dice que el culpable debe ser reprendido en presencia de todos en la iglesia. Por eso, todos los líderes deben estar sometidos también a sus autoridades espirituales, que les den dirección, proporcionen protección e impartan la corrección necesaria para servir al Señor dentro de la Iglesia local.

Si estamos viviendo en pecado, el Señor instruye a los líderes de la iglesia a disciplinarnos en amor y restaurarnos para que andemos en la verdad (1 Corintios 5, Gálatas 6:1, Mateo 18:17). Los padres terrenales que aman a sus hijos los disciplinan en amor. Dios ha decidido utilizar a algunas personas como su vara para disciplinarnos (2 Samuel 7:14), pero esa disciplina es para restaurarnos y no para destruirnos. Así, Dios nos muestra que nos ama. De hecho, el Señor nos dice en Hebreos 12:8: «*Si a ustedes se les deja sin la disciplina que todos reciben, entonces son bastardos y no hijos legítimos.*»

Dondequiera que usted se halle comprometido con el cuerpo de Cristo —en un pequeño grupo, en una célula, en una congregación local o una iglesia en casa— el Señor lo lleva a apoyar activamente y a someterse al líder. Si alguien hace una acusación en contra de un líder, dígale a esa persona que vaya directamente a tratar el asunto con el líder. No pase chismes o acusaciones a otras personas. No permita que los chismes o calumnias lleguen a obstaculizar la obra de Dios en medio de ustedes. Y recuerde: el Señor ha puesto a las autoridades en nuestra vida para moldear en nosotros el carácter de Jesucristo.

Reflexión

¿Qué debe ocurrir si un líder tiene pecado en su vida (1 Timoteo 5:19-20)? ¿Qué debería ocurrir si tenemos pecado en nuestra vida?

CAPÍTULO 3

La bendición de la autoridad

Versículo clave para memorizar

«Con este propósito les envié a Timoteo, mi amado y fiel hijo en el Señor. Él les recordará mi manera de comportarme en Cristo Jesús, como enseño por todas partes y en todas las iglesias.»
1 Corintios 4:17

Día 1

La sumisión a la autoridad proporciona protección

En este capítulo consideraremos algunas de las bendiciones que recibimos cuando nos sometemos a las autoridades que Dios ha puesto en nuestras vidas. Algunas personas crecen con una clara comprensión de lo que es honrar a la autoridad y se dan cuenta que existe para protegerlas. Otras se rebelan contra la autoridad porque tienen una inadecuada comprensión de ésta. El Señor desea renovar nuestras mentes con su Palabra para que podamos tener el debido respeto hacia las autoridades que él ha colocado en nuestras vidas.

En primer lugar, someterse a las autoridades es un mandamiento de Dios. *«Todos deben someterse a las autoridades públicas, pues no hay autoridad que Dios no haya dispuesto, así que las que existen fueron establecidas por él. Por lo tanto, todo el que se opone a la autoridad se rebela contra lo que Dios ha instituido. Los que así proceden recibirán castigo.»* (Romanos 13:1-2). Aquí las Escrituras hablan de someterse a las autoridades públicas, pero esto se aplica a todas las autoridades de nuestra vida. No hay ninguna autoridad que no venga de Dios. De hecho, Dios designa a las autoridades existentes. En la mayoría de los casos, si nos oponemos a estas autoridades nos estamos oponiendo a Él. Tenemos que someternos a las autoridades porque estas autoridades nos proporcionan protección.

Por ejemplo, si desobedecemos rebasando el límite de velocidad, podríamos matarnos o matar a otra persona. Si un padre le dice a un niño que no juegue con fósforos podría incendiar un hogar o quizá causaría la pérdida de una vida. No sería la culpa de los padres ni culpa de Dios; el niño simplemente desobedeció a la autoridad que Dios colocó en su vida. Se salió del paraguas protector de Dios.

Tener una actitud de sumisión hacia las autoridades nos protegerá de cometer muchos errores. También nos protege contra la influencia del diablo. La naturaleza del diablo es la rebelión y el engaño. Lucifer cayó del cielo, porque él dijo: *Voy a ser como el Altísimo.* Él se negó a someterse a la autoridad de Dios.

En el universo existen fuerzas impelentes como la sumisión a la autoridad de Dios y la rebelión. Cada vez que permitimos una actitud de rebelión en nuestras vidas, empezamos a ser motivados por el enemigo y el resultado es que nos lleva a pecar en contra de Dios.

Reflexión

Converse sobre la manera en que la autoridad de Dios actúa como paraguas. ¿Cuáles son las dos fuerzas en el universo que controlan su vida?

Día 2

La sumisión a la autoridad nos ayuda a aprender principios de fe

Para ser personas de fe que veamos ocurrir milagros en nuestras vidas debemos entender los principios de la autoridad. Cuando nos sometemos a las autoridades aprendemos los principios de la fe. La fe del centurión en Mateo 8:8-10 estaba ligada a la comprensión de la autoridad. «—*El centurión respondió: Señor, no merezco que entres bajo mi techo. Pero basta con que digas una sola palabra, y mi siervo quedará sano. Porque yo mismo soy un hombre sujeto a órdenes superiores, y además tengo soldados bajo mi autoridad. Le digo a uno: «Ve», y va, y al otro: «Ven», y viene. Le digo a mi siervo: «Haz esto», y lo hace. Al oír esto, Jesús se asombró y dijo a quienes lo seguían:*

—Les aseguro que no he encontrado en Israel a nadie que tenga tanta fe.»

Este centurión recibió un milagro de parte de Jesús porque él entendió el significado de la autoridad. Como oficial podía dar órdenes a sus subordinados y ellos obedecían. Él entendió por completo que Cristo, quien posee toda la autoridad, podría dar una orden y su voluntad se haría. Cuando Jesús dice que una enfermedad debe irse, ésta debe irse. La vida que Jesús vivió en esta tierra está llena de ejemplos de personas que fueron curadas de diversas enfermedades y dolencias. Las Escrituras nos enseñan que podemos esperar milagros cuando pedimos que los ancianos de la iglesia oren por nosotros, si estamos enfermos... «*Haga llamar a los ancianos de la iglesia para que oren por él... La oración de fe sanará al enfermo y el Señor lo levantará...*» (Santiago 5:14-15). ¡El acto de someternos a nuestros líderes espirituales puede liberar la fe para que se produzca sanidad en nuestras vidas!

Reflexión

¿De qué manera el someternos a la autoridad nos enseña sobre la fe? ¿Qué tiene que ver la fe con los milagros?

Día 3

La sumisión a la autoridad educa nuestro carácter

Otra bendición que recibimos cuando nos sometemos a las autoridades es que este acto de sometimiento nos educa el carácter para ser amorosos para con los demás. El Señor utiliza autoridades para que nos hablen de la Palabra de Dios. La escritura nos cincela y saca de nuestras vidas todo lo que no es de él. Al igual que un herrero toma un pedazo de hierro y lo calienta para que se vuelva flexible y para sacar todas las impurezas con su martillo, así también la Palabra de Dios purifica.. *«¿No es acaso mi palabra como fuego, y como martillo que pulveriza la roca? —afirma el Señor—....»* (Jeremías 23:29). Su Palabra destruye todo lo que es falso en nuestras vidas y deja sólo el «metal» auténtico. De la misma forma, nuestro carácter se fortalece a medida que se ajusta a la imagen de Cristo.

Dios ha colocado autoridades en nuestras vidas para hacernos manejables. Al reaccionar a la autoridad con ira y amargura porque no conseguimos nuestros deseos, manifestamos una señal de que todavía hay impurezas en nuestro carácter. La Palabra de Dios es un fuego purificador que nos transforma haciéndonos semejantes a Él.

Si no hemos aprendido a someternos a la autoridad en nuestras vidas bajo ciertas circunstancias, Dios volverá a traer a alguien a la nueva situación que vivimos para que aprendamos a someternos. ¡Él nos ama tanto! Está comprometido a cuidarnos para que nuestras vidas sean motivadas por el fruto del Espíritu: amor, alegría, paz, paciencia, amabilidad, bondad, fidelidad, humildad y dominio propio (Gálatas 5:22).

Reflexión

¿Cómo le está formando la Palabra de Dios? ¿Qué es lo que el Señor está cincelando para sacarlo de su vida? ¿Por cuál característica del Fruto del Espíritu está siendo reemplazada?

Día 4

La sumisión a la autoridad proporciona guía

Ahora vamos a encontrar que someternos a la autoridad que el Señor ha puesto en nuestras vidas a menudo nos proporciona una buena guía para saber su voluntad. Cuando estaba creciendo, mis padres me pidieron que rompiera mi relación con algunos amigos terribles. En ese momento yo no aprecié lo que me dijeron. Me sentía controlado. Pero ahora estoy agradecido con Dios por haberme sometido a su autoridad. Ahora me doy cuenta que esto me salvó de arruinar mi vida. Una artista cristiana contemporánea quería grabar un álbum de música moderna pero sus padres le pidieron que esperara un tiempo prudencial. Le resultó difícil esperar, pero tomó la decisión de someterse a sus padres. Más tarde produjo un fabuloso álbum que ha sido de bendición para cientos de miles de personas. Dios bendijo a esta joven y le concedió el momento oportuno para el lanzamiento de su álbum.

José, en el Antiguo Testamento, se sometió a la autoridad del carcelero, a pesar de haber sido encarcelado en base a falsedades y el Señor lo levantó posteriormente como primer ministro de toda la nación.

Jesús mismo se sometía a Su Padre celestial todos los días. Jesús dice en Juan 5:30b *«...pues no busco hacer mi propia voluntad sino cumplir la voluntad del que me envió.»* Jesús se comprometió a andar en sumisión a la autoridad de Su Padre celestial y no hizo nada por su propia iniciativa sino lo que fue promovido por Su Padre celestial.

Reflexión

¿A qué autoridad se sometió Jesús? ¿Cómo se ha sometido alguna vez a una autoridad en su vida y ha descubierto la voluntad de Dios para su vida como consecuencia de esto?

Día 5

¿Qué pasa si la autoridad está equivocada?

Muchas veces la gente me ha preguntado: *«¿Qué debo hacer si la autoridad está equivocada?»* Como mencionamos antes, hay que obedecer a Dios antes que a los hombres si la autoridad puesta en nuestras vidas nos obliga hacer algo en contra de la Palabra de Dios. Pero, ¿qué pasa si creemos que la autoridad divina puesta en nuestras vidas está cometiendo un error? Filipenses 4:6 nos dice que oremos. «*No se inquieten por nada; más bien, en toda ocasión, con oración y ruego, presenten sus peticiones a Dios y denle gracias.*» Antes que nada tenemos que recurrir a Dios. Debemos orar, hacerle conocer nuestras peticiones y preocupaciones. De la misma manera, esto sienta un precedente para recurrir a las autoridades delegadas que han sido puestas en nuestras vidas. Según el diccionario de la Real Academia de la Lengua, la palabra «petición» significa acción de pedir. El Señor quiere que con una actitud de sumisión recurramos a las autoridades que Él ha puesto en nuestras vidas.

En lugar de tener un espíritu sumiso y recurrir a la autoridad, Aarón y Miriam acusaron a Moisés por las decisiones que estaba tomando como líder. No temían a Dios ni respetaban al profeta, y esto hizo posible que un espíritu de rebelión entrara en sus vidas. Moisés, quien había aprendido la lección sobre la autoridad en el desierto mientras pastoreaba ovejas, no se defendió. En lugar de eso fue a Dios, y Dios lo defendió. Daniel y sus amigos, en el Antiguo Testamento, recurrieron a la autoridad y sólo pidieron comer ciertos alimentos (Daniel 1:8,12,13). El Señor honró su sumisión a la autoridad y los bendijo con salud, sabiduría, destrezas literarias y revelación sobrenatural. Nehemías le pidió al rey tomar un viaje a Jerusalén (Nehemías 1). Su sometimiento a la autoridad fue una actitud que hizo que el rey le concediera su petición. La obediencia y actitud de Nehemías hizo posible que el muro alrededor de Jerusalén se construyera.

En conclusión, si alguna persona en autoridad nos exige pecar, tenemos que obedecer a Él y no a los hombres (Hechos 5:29). Los líderes religiosos de esa época les dijeron a los primeros líderes de la iglesia que dejaran de proclamar a Jesús como Señor; pero con todo, mantuvieron un espíritu y una actitud de honra a los líderes religiosos. Si las autoridades nos piden que engañemos, robemos, mintamos, o cometamos cualquier pecado en cierta manera, ¡tenemos que obedecer al Dios viviente primero! Sin embargo, esto rara vez ocurre. Por lo general, Dios usa a las autoridades para ayudar a moldearnos y estructurar nuestras vidas para lo bueno.

Reflexión

¿Ha habido alguna vez una autoridad que le ordenó hacer algo pecaminoso? ¿Qué hizo usted? ¿Cuál es el resultado de obedecer a la autoridad? ¿Cuál es el resultado de la rebelión?

Día 6

Mantenga una actitud de amor y sumisión

Dios quiere que tengamos una actitud de amor y de sumisión a nuestro Padre y a los que Él ha colocado como autoridad en nuestras vidas. Esto es a menudo lo contrario de lo que vemos hoy. La gente está más preocupada por ser justa ante sus propios ojos e insiste en *«hacer las cosas a su manera»*.

Coré era un sacerdote del Antiguo Testamento que se rebeló en contra de Moisés con otros 250 líderes de Israel. En lugar de recurrir en amor y sumisión a la autoridad de Moisés y Aarón, prefirió desafiar su autoridad. *«Se reunieron para oponerse a Moisés y Aarón y les dijeron: —¡Ustedes han ido ya demasiado lejos! Si toda la comunidad es santa, lo mismo que sus miembros, ¿por qué se creen ustedes los dueños de la comunidad del Señor?»* (Números 16:3). Coré y los otros líderes fueron rebeldes. Ellos pensaron que podrían elegir ellos mismos a la persona que guiaría al Pueblo de Dios. Pero Dios corroboró que él estaba a cargo de la situación. Al día siguiente la tierra se abrió y se los tragó vivos. Dios odia la rebelión. Abigail, en 1 Samuel 25, se dio cuenta de que David y su ejército querían destruir a su esposo y a su pueblo. Fue a David y le suplicó, y él la salvó de la muerte a su familia.

A un amigo le pidieron firmar un documento relacionado con el trabajo pero se dio cuenta de que debido a la fraseología técnica estaba a punto de firmar algo falso. Oró y decidió obedecer a Dios. Recurrió los supervisores y le pidió al Señor sabiduría para cumplir con los propósitos de su empleador sin comprometer la verdad. El Señor le mostró un plan, pero él estuvo dispuesto a renunciar al trabajo de ser necesario. Les dijo a sus supervisores que apreciaba trabajar en la empresa y les explicó la razón por la cual no podría firmar el documento. Reconoció que esto le ocasionaría inconvenientes y lo llevaría a perder su puesto de trabajo. Con todo, tenía que ser fiel a Dios. Por su propia cuenta se ofreció a cambiar el formato por otro que cumpliera el punto de vista legal de la empresa. Ellos aceptaron y el Señor Dios le concedió un favor tremendo en la empresa.

Reflexión

¿Por qué Dios quiere que usted recurra a Él cuando tenga el problema de someterse a una autoridad?

Día 7

Cómo comprender lo que es la autoridad delegada

Hace algunos años, un misionero estaba enseñando en una clase de Escuela Dominical sobre el tema de la autoridad de Romanos 13 en una nación sudamericana. Entonces un médico se puso de pie y dijo: *«¿Usted quiere decir que tengo que pagar los impuestos que exige el gobierno?»* En ese momento el país tenía un sistema de recaudo de impuestos muy ineficaz. Menos del 25% de toda la población pagaba impuestos. El gobierno se dio cuenta de eso y subió la cuota a cuatro veces más para cubrir los gastos de los que no pagaban.

Impactado por el principio bíblico, el médico no solo tomó la decisión de pagar sus impuestos sino que también oró y pidió al Señor sabiduría. El Señor le dio una idea de cómo cambiar el sistema de recaudo. Converso su idea con los nuevos funcionarios de la ciudad y se aprobó su propuesta. Funcionó tan bien que el 80% de la población comenzó a pagar sus impuestos. Entonces el estado aprobó el plan que posteriormente fue adoptado por toda la nación. El país entero fue bendecido gracias a la obediencia de un solo hombre. Atrevámonos a obedecer a la Palabra de Dios y veamos lo que él puede hacer a través de nuestra obediencia.

Cuando entendemos el principio de la autoridad delegada por Dios cambia la manera en que pensamos. El apóstol Pablo entendió claramente este punto. Dios le había delegado autoridad a Pablo y él hizo lo mismo con Timoteo para enviarlo a los cristianos en Corinto. *«Con este propósito les envié a Timoteo, mi amado y fiel hijo en el Señor. Él les recordará mi manera de comportarme en Cristo Jesús, como enseño por todas partes y en todas las iglesias.»* (1 Corintios 4:17). Años antes, Pablo, (entonces llamado Saulo), iba camino a Damasco y fue cegado por una luz brillante. El Señor le había dado instrucciones para entrar en la ciudad a fin de que Ananías orara por él. Pablo no dijo: «Quiero que Pedro el apóstol, ore por mí.» Él estaba dispuesto a recibir la oración del siervo que el Señor hubiera elegido. En consecuencia, fue lleno del Espíritu Santo y recibió la vista. Ananías probablemente era un *«desconocido»* en la iglesia cristiana de ese entonces, pero tanto Pablo como Ananías entendieron el principio de autoridad delegada de Dios, y Dios los honró a ambos.

Reflexión

Nombre algunas personas que han delegado la autoridad sobre usted en su familia, la iglesia y el lugar de trabajo.

CAPÍTULO 4

La bendición de rendir cuentas

Versículo clave para memorizar

«Pero estoy seguro de vosotros hermanos míos, de que vosotros mismos rebosan de bondad, llenos de todo conocimiento, de tal manera que podéis amonestaros unos a otros.»
Romanos 15:14 RV60

Día 1

¿Qué es la rendición personal de cuentas?

El significado de la expresión «*rendición de cuentas*» se relaciona con «*dar explicación a los demás de lo que Dios nos ha llamado a hacer*.» Somos primeramente responsables ante el Señor de nuestra forma de vivir. Nuestras vidas deben estar alineadas primeramente con la Palabra de Dios. Después tenemos que rendir cuentas a nuestros hermanos creyentes. Estas personas son los líderes espirituales que Dios ha puesto en nuestra vida. Hebreos 13:17 dice que estos líderes son responsables ante Dios con respecto a nosotros, «*...pues cuidan de ustedes como quienes tienen que rendir cuentas.*»

Muchas veces les he pedido a otras personas que me cuiden de cumplir con una meta que el Señor ha establecido para mí. Hace varios años le pedí a uno de los hombres de un grupo de estudio bíblico que me obligara a ser responsable con mi tiempo de oración y meditación de la Palabra de Dios. Todas las mañanas recibía una llamada telefónica de este amigo a las 7:00 a.m. para ver cómo me iba. La *rendición de cuentas* me permitió ser victorioso. Hay una gran liberación que se da en nuestra vida cuando estamos dispuestos a pedir a los demás que nos obliguen a ser responsables de lo que el Señor nos ha mostrado en algunas de las áreas personales, que necesitan aliento y apoyo.

Quiero hacer hincapié en que la responsabilidad personal no consiste en tener personas que nos estén diciendo lo que debemos hacer. La *rendición de cuentas* es un acto de confianza que consiste en permitir que otra persona sepa lo que hemos prometido a Dios y, luego, pedirle que nos ayude a ser responsables delante de Dios. Pero puede ocurrir un abuso cuando alguien, en una posición de autoridad espiritual emplea mal esta responsabilidad y trata de ejercer control sobre nosotros. ¡Esto no es una rendición de cuentas en términos bíblicos! El propósito de alguien que está en autoridad espiritual es ayudarnos a ser edificados por Dios. Si alguien intenta manipularnos a través de una rendición de cuentas aparentemente «piadosa», en lugar de que nos libere para hacer lo que Dios nos ha llamado, abusa de su poder.

Reflexión

¿Quién «vela por usted»? Dé un ejemplo de la manera como usted practica la rendición de cuentas en su propia vida.

Día 2

Responsables primeramente ante Jesús

Como acabamos de mencionar, somos responsables ante el Señor en cuanto a la manera en que vivimos. El evangelio de Marcos 6 muestra cómo los doce discípulos fueron responsables ante Jesús. Él los instruyó y los envió a cumplir una tarea. En el versículo 7, Jesús los envió de dos en dos para que pudieran apoyarse mutuamente: «*Reunió a los doce, y comenzó a enviarlos de dos en dos, dándoles autoridad sobre los espíritus malignos.*» Cuando habían terminado su ministerio, dice el versículo 30 que los discípulos le informaron a Jesús lo que habían experimentado. Éste es un ejemplo de *rendición de cuentas.* «*Los apóstoles se reunieron con Jesús y le contaron lo que habían hecho y enseñado*». (Marcos 6:7,30).

En otra ocasión en que el Señor envió setenta y dos discípulos, también regresaron y rindieron cuentas ante Jesús. Lucas 10:1,17 nos dice: «*Después de esto, el Señor escogió a otros setenta y dos para enviarlos de dos en dos delante de él a todo pueblo y lugar adonde él pensaba ir.*

Cuando los setenta y dos regresaron, dijeron contentos: —Señor, hasta los demonios se nos someten en tu nombre.»

Si los primeros discípulos tenían que rendir cuentas a Jesús, ¡cuánto más tenemos que ser responsables nosotros! Somos responsables de vivir en obediencia a la Palabra de Dios, al haber puesto nuestras esperanzas en sus promesas (Salmos 119:74) y atesorar su Palabra en lo profundo de nuestros corazones (Salmos 119:11).

Reflexión

¿Cómo rindieron cuentas los discípulos ante Jesús en Marcos 6? ¿Cómo se le rinde cuentas al Señor Jesús en la actualidad?

Día 3

Responsables ante los demás

A menudo nos enfrentamos con serias batallas espirituales que debemos aprender a superar. Otros pueden ayudarnos a enfrentar estas batallas. La *rendición de cuentas* consiste en que alguien nos ama lo suficiente para valorar nuestra responsabilidad en la vida personal y ayudarnos a mantener el rumbo correcto. Pablo les escribió a los romanos para recordarles las verdades que ya conocían.

Él quería alentarlos a corregirse mutuamente y obligarlos a ser responsables de ayudarse en forma amorosa: «*Pero estoy seguro de vosotros, hermanos míos, de que vosotros mismos estáis llenos de bondad, llenos de todo conocimiento, de tal manera que podéis amonestaros los unos a los otros.*» (Romanos 15:14 RV).

Según el diccionario de la Real Academia, «*amonestar*» significa advertir, prevenir, reprender. Todos necesitamos la ayuda de personas que nos amonesten y nos obliguen a ser responsables. Esto no se da espontáneamente. Tenemos que pedirlo a algunas personas. «*Dios se opone a los orgullosos, pero da gracia a los humildes*» (1 Pedro 5:5 b). Se necesita humildad para pedir a los demás que nos obliguen a ser responsables de la manera en que vivimos nuestra vida cristiana, pero Dios da gracia a los que son humildes y están dispuestos a abrir sus vidas a los demás.

En cierta ocasión, después de haber pasado unos días orando con un grupo de líderes le pedí a uno de ellos que me obligara a ser responsable como líder cristiano. Él aceptó y me pidió que hiciera lo mismo por él. La mutua ayuda nos benefició a los dos. Hay una gran libertad y protección al ser responsable ante alguien más. El diablo mora en la oscuridad y tratará de aislarnos de los demás creyentes. Pero Jesús desea que caminemos en la luz de la transparencia y la rendición de cuentas.

Reflexión

¿Qué significa amonestar? ¿Alguna vez usted se humilló para pedirle a otra persona que le obligara a usted a ser responsable? ¿Qué pasó?

Día 4

La rendición de cuentas nos ayuda a mantenernos firmes ante la tentación

En muchas ocasiones ocurre que un cristiano comienza a crecer en su vida espiritual y luego cae en la mediocridad. Otras veces los creyentes son vencidos por la tentación y el pecado. La rendición de cuentas nos ayuda a mantener la pasión por Dios y a avanzar firmes ante la tentación... «*Pero Dios es fiel, y no permitirá que ustedes sean tentados más allá de lo que puedan aguantar. Más bien, cuando llegue la tentación, él les dará también una salida a fin de que puedan resistir.*» (1 Corintios 10:13).

No debemos tener miedo de ser honestos acerca de nuestras caídas. Una de las ventajas de la rendición de cuentas es que nos permite saber que no somos los únicos que luchan con un área de pecado. Saber que no estamos solos con nuestros problemas nos ayuda a ser más transparentes para reconocer nuestras debilidades para que podamos ser sanados: «*Por eso, confiésense unos a otros sus pecados, y oren unos por otros, para que sean sanados. La oración del justo es poderosa y eficaz.*» (Santiago 5:16).

¿Quiénes son las personas que el Señor ha puesto en su vida para ayudarle a controlarse? Pídales que lo obliguen a ser responsable de hacer lo que el Señor le ha llamado a hacer. Quizás usted necesite rendir cuentas en cuanto al manejo adecuado de sus finanzas. O tal vez de la manera en que se relaciona con su cónyuge. Si quiere bajar de peso, usted puede hacerse responsable ante alguien por sus hábitos alimenticios y por el ejercicio diario. Una vez oí decir a un hombre que había perdido más de 900 kilos en su vida.Perdía unos pocos kilos y luego los ganaba de nuevo; perdía peso otra vez y luego lo aumentaba una y otra vez, este ciclo se repetía todo el tiempo. A pesar de que a veces exageraba y bromeaba acerca de su condición física, la verdad es que necesitaba desesperadamente la ayuda de otra persona. ¡La rendición de cuentas trae libertad! Y nos anima a continuar hacia la madurez y la victoria en nuestras vidas.

La rendición de cuentas nos impide ser perezosos en nuestra relación con el Señor y nos proporciona una «salida» cuando la tentación ataca. La Biblia nos dice que nos alentemos los unos a los otros a diario de modo que no nos endurezcamos por el engaño del pecado (Hebreos 3:13).

Reflexión

¿Cómo ha utilizado Dios a otras personas para ayudarle a mantenerse firme ante la tentación? ¿Alguna vez ha ayudado a alguien a ser responsable ante Dios? ¿Qué nos dice Hebreos 3:13 que debemos hacer diariamente?

Día 5

La rendición de cuentas nos ayuda con los «puntos ciegos»

Muchos conductores de auto han experimentado lo que se llama el «*punto ciego*». Esto ocurre cuando intentamos adelantar a otro vehículo por la izquierda y miramos por nuestro espejo lateral derecho y no vemos el peligro. En este *punto ciego* estamos expuestos al accidente.

De la misma manera, tenemos *puntos ciegos* que no nos permiten ver los peligros en nuestra propia vida pero que otros pueden ver. Hay muchas personas en nuestra vida que nos pueden ayudar con los *puntos ciegos*. Estas personas pueden hacer que nos demos cuenta de la forma en que cumplimos con el trabajo, en el hogar, en las obligaciones escolares, eclesiales y cívicas. Esta es la razón por la cual los hijos son responsables ante sus padres. También somos responsables ante los líderes de nuestra iglesia. Las Escrituras nos dicen en Proverbios 11:14 :*«... Mas en la multitud de consejeros hay seguridad.*» Un amigo mío dijo una vez: *«Aprende a escuchar a tus críticos.»* ¿Qué hacen los críticos? Ellos le dirán cosas que sus amigos tal vez nunca le digan. Este es un buen consejo.

Algo que debemos recordar cuando ayudamos a otros a ser responsables es que no debemos juzgar sus actitudes. En lugar de ello debemos mostrarles las ocasiones en que puedan desagradar al Señor. Tenemos que hablarles de una manera que los aliente. Somos responsables de las palabras que hablamos. «*Pero yo les digo que en el día del juicio todos tendrán que dar cuenta de toda palabra ociosa que hayan pronunciado. Porque por tus palabras se te absolverá, y por tus palabras se te condenará.»* (Mateo 12:36-37).

En un momento de mi vida cristiana comprendí que el Señor me llamaba a desarrollar una relación más íntima con Él. Entonces le conté con honestidad acerca de esta necesidad en mi vida a uno de los hombres de mi pequeño grupo. Yo sabía que había ciertas cosas que tenía que hacer para proseguir mi relación con Jesús Este amigo cristiano *«me chequeó»* y me obligo a ser responsable alentándome continuamente.

En Mateo 18 se describe una situación ligeramente diferente de rendición de cuentas en la iglesia. Cuando un hombre o una mujer pecan contra nosotros en privado, ¿qué debemos hacer para obligarles a responsabilizarse de ese pecado? Mateo dice que no debemos ir a otra persona para hablar acerca del problema sino que debemos amar al ofensor lo suficiente como para ir directamente a él. Si él no lo recibe a usted, la Biblia dice que debemos entonces tomar uno o dos amigos cristianos y hablar con él de nuevo (Mateo 18:15-17). El propósito final es verlo restaurado y sanado.

La meta de la rendición de cuentas es siempre llegar en amor y humildad a una persona para que reciba una reafirmación del amor de Dios en su vida y se restablezca en semejanza de Cristo.

Reflexión

¿Qué es un «punto ciego»? ¿Lo ha ayudado alguien a usted en un momento así? ¿Cuáles son los pasos que se enumeran en la rendición de cuentas en Mateo 18 para tratar un problema entre usted y otro cristiano?

Día 6

La rendición de cuentas en un grupo pequeño

Dios nos creó para vivir en comunión con otros creyentes. Cuando se trata de la experiencia cotidiana de vivir para Cristo Jesús necesitamos otras personas con las cuales estemos en estrecha relación para que nos alienten. «*Preocupémonos los unos por los otros, a fin de estimularnos al amor y a las buenas obras. No dejemos de congregarnos, como acostumbran hacerlo algunos, sino animémonos unos a otros, y con mayor razón ahora que vemos que aquel día se acerca.*» (Hebreos 10:24-25). «*Si caen, el uno levanta al otro. ¡Ay del que cae y no tiene quien lo levante!*» (Eclesiastés 4:10).

Nuestros amigos creyentes pueden ayudarnos más de lo que pensamos a cuidar de que seamos responsables. La ayuda puede venir de un pequeño grupo de creyentes en una clase de Escuela Dominical, un grupo de células, un grupo de jóvenes o una iglesia en casa que nos ayude a expresar el deseo de realizar una rendición de cuentas. No podemos ser responsables ante todo el mundo en un gran escenario pero en un grupo pequeño podemos decir con más facilidad nuestras luchas y recibir la ayuda necesaria para superar un problema o tentación.

En un grupo pequeño podemos ser instruidos, amonestados, equipados y alentados en las cosas de Dios. Nadie debe tratar de vivir su vida cristiana sin el apoyo de los demás. Nos podemos librar de muchos dolores de cabeza al aprender el principio de rendición de cuentas y su aplicación a nuestras vidas dentro de un pequeño grupo.

Reflexión

Según Hebreos 10:25, ¿por qué es importante que compartamos con nuestros hermanos creyentes? ¿Por qué es más fácil ser responsable ante los demás en un grupo pequeño?

Día 7

Nuestra máxima autoridad es Jesús

Nuestra rendición de cuentas debe hacerse delante del Jesús y no ante otras personas. Jesucristo nos da su autoridad para vivir vidas victoriosas: «*Sí, les he dado autoridad a ustedes para pisotear serpientes y escorpiones y vencer todo el poder del enemigo; nada les podrá hacer daño.*» (Lucas 10:19).

Jesús debe ser el Único de quien recibimos autoridad. Aunque Dios use autoridades delegadas en nuestras vidas y nos obligue atener una actitud de sumisión ante ellas. Dios es el que nos da autoridad máxima incluso nos da autoridad sobre los demonios en el nombre de Jesús. Cuando recibimos esta autoridad vivimos en una relación íntima con él, y su Palabra nos da aún mayor autoridad. Cuando Jesús hablaba, la gente lo escuchaba. «*Cuando Jesús terminó de decir estas cosas, las multitudes se asombraron de su enseñanza, porque les enseñaba como quien tenía autoridad, y no como los maestros de la ley.*» (Mateo 7:28-29).

Dios está restaurando el *temor del Señor* en nuestra generación. Nos ha llamado a someternos a las autoridades y nos enseña los principios pertinentes de la fe. El Señor da autoridad a Sus autoridades delegadas para moldearnos, formamos y modelarnos a la imagen de Cristo. Estas autoridades se encuentran en los gobiernos, los lugares de trabajo, nuestras familias, nuestras comunidades y nuestra iglesia. De la misma manera, el Señor nos ha llamado a tener una actitud de sumisión a las autoridades, al darnos cuenta de que la máxima autoridad es Él. Nunca debemos obedecer a una autoridad que nos esté induciendo a pecar, sino orar y acudir a ellas (Hechos 5:29). Debemos obedecer a Dios antes que a los hombres.

¿Quiénes son las autoridades que el Señor ha puesto en su vida? ¿Quién es responsable de ayudarlo a usted? Una comprensión adecuada de la autoridad y la rendición de cuentas nos trae seguridad y libertad. ¡Es maravilloso saber que el Señor nos ama para que a través de las autoridades nos proteja y nos moldee! Saber que las personas que el Señor ha puesto en nuestra vida nos aman lo suficiente para obligarnos a ser responsables de nuestras acciones es una enorme bendición. ¡No tenemos que vivir solos nuestra vida cristiana! Dios lo bendice a medida que usted va experimentando la amorosa autoridad de Jesucristo y la bendición de la rendición de cuentas.

Reflexión

¡La misma autoridad de Dios se da a su pueblo en la tierra! Describa este poder (Lucas 10:19). ¿Qué puede traer a nuestras vidas una comprensión adecuada de la autoridad y de la rendición de cuentas?

Fundamentos Bíblicos 10

La perspectiva de Dios en cuanto a las finanzas

CAPÍTULO 1

Somos administradores del dinero de Dios

Versículo clave para memorizar

«Así pues tengámonos los hombres por servidores de Cristo y administradores de los misterios de Dios. Ahora bien, se requiere de los administradores, que cada uno sea hallado fiel.»
1 Corintios 4:1-2 RV60

Día 1

Dios ama al dador alegre

¡Dios quiere bendecirnos en términos financieros! El Evangelio de Juan 3:16 dice «Porque tanto amó Dios al mundo que *dio...*» Dios se presentó a Abraham en Génesis 17 como *El Shaddai*...el Dios *más que suficiente*. Satisfizo las necesidades de Abraham y proveyó en abundancia para que Abraham pudiera bendecir a las naciones. Dios desea satisfacer nuestras necesidades y proveer en abundancia para que podamos ministrar a otros.

Muchos cristianos poseen una mala comprensión de las finanzas. Quizás den por un sentido de deber u obligación. El acto de dar debe proceder de una comprensión de la gracia de Dios (2 Corintios 8:1-4); esto no se debe hacer a regañadientes o por un sentido de coacción. «*Cada uno debe dar según lo que haya decidido en su corazón, no de mala gana ni por obligación, porque Dios ama al que da con alegría.*» (2 Corintios 9:7).

Uno de mis amigos visitó a un amigo no creyente para invitarlo a la iglesia un domingo. Mi amigo recuerda lo avergonzado que estuvo cuando supo que el propósito del servicio ese domingo era recolectar dinero para comprar un órgano nuevo. Empezaron a pedir que la gente hiciera compromisos — compromisos de cuatro mil dólares, de cuatrocientos dólares, y de cien dólares. De hecho, toda la reunión se hizo para estimular que los miembros de la iglesia aportaran dinero. ¡El amigo no cristiano estaba tan desilusionado que nunca más quiso regresar a la iglesia!

Las Sagradas Escrituras tienen mucho que decirnos sobre el dinero o las posesiones materiales. Dieciséis de las treinta y ocho parábolas de Jesús tienen que ver con el dinero. Uno de cada diez versículos en el Nuevo Testamento trata este tema. Las Sagradas Escrituras presentan 500 versículos sobre la oración y menos de 500 versículos sobre la fe, pero hay más de 2.000 versículos sobre el asunto del dinero y las posesiones materiales. El dinero es una cuestión importante porque su actitud nos revela su relación con Dios.

Dios quiere restaurar una comprensión adecuada y piadosa de las finanzas en el cuerpo de Cristo. Estemos abiertos a la Palabra de Dios sobre las finanzas.

Reflexión

¿Por qué quiere Dios bendecirnos en términos financieros? ¿Cuál debe ser nuestra actitud cuando damos algo?

Día 2

Sólo somos administradores

En principio debemos aceptar que todo lo que poseemos le pertenece a Dios. Sólo somos mayordomos (administradores) de cualquier bien material que poseamos. Dios es dueño de todo lo que tenemos pero él nos hace administradores. «*Así pues ténganos los hombres por servidores de Cristo, y administradores de los misterios de Dios. Ahora bien se requiere de los administradores que cada uno sea hallado fiel.*

¿O que tienes que no hayas recibido...?» (1 Corintios 4:1-2,7b RV60).

Cuando mi esposa LaVerne y yo servíamos como misioneros, nuestro trabajo consistía en comprar comida y provisiones para otros misioneros. El dinero que usábamos no era nuestro; simplemente lo estábamos administrando porque pertenecía a la junta misionera. Una vez hablé sobre este principio de ser administrador del dinero de Dios en Nairobi, Kenia, y una de las mujeres que estaban en el público me dijo que, aunque maneja grandes cantidades de dinero como cajera de un banco, el dinero no era de ella. Era del banco y ella solamente lo administraba.

Todo lo que administro le pertenece a Dios. En realidad, el dinero que hay en mi billetera no es mío; es de Dios. Algunos cristianos creen que el diez por ciento del dinero que reciben es de Dios y que el otro noventa por ciento les pertenece exclusivamente a ellos. Están equivocados. ¡*Todo* le pertenece a Dios!

«*...tuyo es todo cuanto hay en el cielo y en la tierra...De ti proceden la riqueza y el honor...*» (1 Crónicas 29:11b, 12a).

«*Mía es la plata, y mío es el oro,» — afirma el Señor Todopoderoso—.*» (Hageo 2:8).

«*pues míos son los animales del bosque, y mío también es el ganado de los cerros*» (Salmos 50:10).

Cuando LaVerne y yo servíamos como misioneros, conducía una camioneta que le pertenecía a la misión. Aunque sentía que yo era responsable de la camioneta, me daba cuenta de que «no me pertenecía.» Le pertenecía a Dios. Fue una buena lección administrar la propiedad de otra persona. Dios nos ha dado la responsabilidad de ser administradores de su riqueza. Todo le pertenece a Él. Tenemos que dejar de pensar como dueños y empezar a pensar como administradores.

Reflexión

¿Cuál es su responsabilidad como «mayordomo» del dinero de Dios (1 Corintios 4:2)? ¿Alguna vez se le ha encargado a usted el dinero o las posesiones de otra persona? ¿Cómo se sentía con respecto a estas cosas?

Día 3

No podemos servir a Dios y al dinero

¿Sabe usted que Dios asocia nuestra habilidad de manejar el dinero con la habilidad de manejar las cuestiones espirituales? Un día Jesús hizo algunas afirmaciones sorprendentes en cuanto a este principio: «*El que es honrado en lo poco, también lo será en lo mucho; y el que no es íntegro en lo poco, tampoco lo será en lo mucho. Por eso, si ustedes no han sido honrados en el uso de las riquezas mundanas, ¿quién les confiará las verdaderas? Y si con lo ajeno no han sido honrados, ¿quién les dará a ustedes lo que les pertenece? Ningún sirviente puede servir a dos patrones. Menospreciará a uno y amará al otro, o querrá mucho a uno y despreciará al otro. Ustedes no pueden servir a la vez a Dios y a las riquezas.*» (Lucas 16:10-13).

El dinero, en la medida de los valores eternos, es algo «pequeño» comparado con las bendiciones de Dios. Sin embargo, nuestra fidelidad en las cosas pequeñas (como el dinero) indica nuestra fidelidad en las cosas más valiosas (como los valores espirituales). Jesús dijo que quienes no son confiables en el uso de su riqueza mundana no serán confiables en las cosas espirituales. Dijo que no podemos servir a dos amos: Dios y el materialismo. Es imposible ser fiel a dos amos al mismo tiempo.

Estar rodeados de las riquezas del mundo quizás nos dé un falso sentido de seguridad. Los cristianos no debemos apegarnos a las riquezas porque ellas tienen cierto poder de persuasión para engañarnos y demandar la fidelidad de nuestros corazones. La manera como manejamos las finanzas es a menudo un indicador de lo que hay en nuestros corazones. El Señor está muy preocupado del uso que hacemos de nuestros recursos materiales porque sabe que si somos fieles en las cosas materiales o recursos, puede confiarnos las cosas espirituales.

Reflexión
¿Por qué no podemos servir a Dios y al dinero? ¿Cómo puede convertirse el dinero en «Señor» para nosotros?

Día 4

Debemos esperar bendiciones financieras

Me sorprende ver la manera como Dios se «arriesga» con su creación. Cuando Dios creó a los ángeles, se arriesgó. El arcángel Lucifer, (Satanás), trató de exaltarse a sí mismo por encima del Señor, así que Dios lo arrojó fuera de los cielos (Isaías 14:12-17). Cuando Dios creó la humanidad y nos dio libre albedrío, «se arriesgó» a que le desobedeciéramos.

¿Sabía usted que cada vez que Dios nos bendice en términos financieros está *arriesgándose*? Se arriesga con usted y conmigo cuando nos pide que seamos los mayordomos (administradores) de «sus recursos». Es posible que nos desviemos para servir al dinero en lugar de servir a nuestro Padre Celestial. A veces Dios bendijo a Israel con múltiples riquezas como una señal de que estaba cumpliendo su pacto. «*Recuerda al Señor tu Dios, porque es él quien te da el poder para producir esa riqueza...*» (Deuteronomio 8:18). Pero, juntamente con la bendición de las riquezas les dio instrucciones para que no se olvidaran del Señor su Dios. Él sabe que nuestra tendencia es permitir que el dinero sea nuestro Dios. Debemos recordar que nuestras vidas no valen por la abundancia de las cosas que poseemos... «*¡Tengan cuidado! —advirtió a la gente—. Absténgase de toda avaricia; la vida de una persona no depende de la abundancia de sus bienes.*» (Lucas 12:15).

En el primero de los Diez Mandamientos, el Señor nos manda: «no tendrás otros dioses además de mí». El ultimo mandamiento dice que no debemos «codiciar lo que le pertenece a nuestro prójimo». *Codiciar* significa *desear con envidia lo que pertenece a otro.* Si codiciamos las bendiciones financieras de otros estamos poniendo el dinero antes que a Dios. Las posesiones materiales no nos dan vida. ¡Sólo nuestra relación con el señor Jesús produce vida! No debemos permitir que las riquezas materiales nos distraigan de nuestro llamado.

Reflexión

¿Por qué Dios se arriesga al hacernos administradores de Sus finanzas? ¿De qué debemos tener cuidado con la bendición financiera?

Día 5

¿Es mejor ser rico o pobre?

Los cristianos pueden caer en esta duda en cuanto a la perspectiva de Dios sobre el estilo de vida financiero. Quizás algunos piensen que los cristianos deben ser pobres y otros piensen que deben ser ricos.

Los que creen que los cristianos deben ser ricos piensan que las riquezas financieras son una clara señal de la bendición de Dios. Sin embargo, la «bendición» de Dios no se iguala siempre a las ganancias materiales. ¡Implica mucho más que eso! Sin duda Dios quiere bendecirnos en términos financieros y de otras maneras también. «*Querido hermano, oro para que te vaya bien en todos tus asuntos y goces de buena salud, así como prosperas espiritualmente*» (3 Juan 1:2).

Pero si creemos como los fariseos que una gran riqueza es una *señal* del favor de Dios, vamos a menospreciar a las personas que son pobres. Los fariseos despreciaron a Jesús por ser pobre en términos financieros (Lucas 16:14). Pero Jesús no hizo lo mismo con los pobres. De hecho, vemos que las gentes de la iglesia de Esmirna eran pobres y sin embargo Jesús dijo que eran ricos en términos espirituales (Apocalipsis 2:8-10). Aunque Dios quiere prosperarnos de diferentes maneras, la riqueza financiera no necesariamente implica que Dios nos bendice. Los cristianos de Laodicea lo demuestran. Las Escrituras nos dicen que eran ricos pero se les consideraba espiritualmente «miserables» (Apocalipsis 3:17).

Por otro lado, muchas personas ricas *reciben* la bendición de Dios porque usan sus recursos para bendecir a otros. Job fue un hombre rico que no permitió que el dinero fuera su dios (Job 1). Abraham también tuvo una gran riqueza y permaneció fiel a Dios (Génesis 13:2). Antes de tener un encuentro con Jesús, Zaqueo —un rico recaudador de impuestos— confiaba sólo en sus riquezas. Pero después que conoció a Jesús devolvió cuatro veces más de lo que había robado. (Lucas 19:8).

Del otro lado, y como reacción al mismo poder seductor del dinero en nuestras vidas, algunos creyentes piensan que todos los cristianos deben ser pobres. A menudo tienen miedo de lo que el dinero les pueda a hacer ellos. Tienen miedo de su influencia corruptora y creen que el dinero los hará «resbalar.» Quizás algunos han tenido escándalos financieros en la Iglesia y ahora rechazan la riqueza como una influencia maligna.

Al atravesar la nebulosa de estos dos puntos de vista opuestos, la verdad es: El Señor no está a favor ni en contra del dinero. El dinero es amoral en sí mismo. Es *lo que hacemos con él* y *nuestra actitud hacia él* lo que lo hace moral o inmoral. El dinero no es la raíz de todos los males como algunos citan equivocadamente en 1 Timoteo 6:10. En esta porción de la escritura el Señor nos advierte sobre el peligro de *amar* al dinero. *«Porque el amor al dinero es la raíz de toda clase de males. Por codiciarlo, algunos se han desviado de la fe y se han causado muchísimos sinsabores.»* (1 Timoteo 6:10).

El peligro consiste en que seamos amantes del dinero, ya sea que tengamos poco o mucho. Depende de nuestro afecto. Ricos o pobres, si empezamos a amar el dinero caeremos en la codicia y causaremos muchos problemas a los que nos rodean y a nosotros mismos.

Reflexión

¿Es el dinero una señal del favor de Dios? ¿Es el dinero la raíz de todos los males (1 Timoteo 6:10)? Entonces, ¿cuál es la raíz de todos los males?

Día 6

El dar nos refrena del materialismo

Aunque Dios nos bendiga en el aspecto material, debemos amarlo sobre todas las cosas. *«Los que quieren enriquecerse caen en la tentación y se vuelven esclavos de sus muchos deseos. Estos afanes insensatos y dañinos hunden a la gente en la ruina y en la destrucción.»* (1 Timoteo 6:9).

El Señor no quiere que tengamos al dinero todo el tiempo en nuestras mentes. *El materialismo* es una preocupación permanente por las cosas materiales antes que las espirituales. Nuestro enfoque primario debe estar en el reino de Dios, no en el dinero. Sin embargo, se necesita el dinero para expandir el reino de Dios. El dinero sirve para cubrir las necesidades propias y para financiar la extensión del reino de Dios. No debemos ser esclavos del dinero porque el propósito de Dios para el dinero es que esté a nuestro servicio: El dinero debe servir para cubrir las necesidades de la vida, dar a los necesitados y para financiar la extensión del reino de Dios. El propósito verdadero de la prosperidad es expandir el reino de Dios.

Si damos con generosidad refrenamos nuestro materialismo. El acto de dar rompe el amor al dinero y nos previene de convertirlo en un ídolo. Dios quiere bendecirnos para que sembremos en su reino y ayudemos a los pobres.

Ser bendecido —en términos financieros— significa tener todo lo que necesitamos para satisfacer nuestras necesidades y para dar a otros. El propósito de tener un empleo debe ser, como dice el evangelio, *«...sino que trabaje honradamente con las manos para tener qué compartir con los necesitados»* (Efesios 4:28b).

Cuando trabajamos con diligencia y damos con fidelidad de nuestros recursos, la Biblia enseña que Dios *«les proveerá de todo lo que necesiten conforme a las gloriosas riquezas de Cristo Jesús.»* (Filipenses 4:19). Él quiere satisfacer nuestras necesidades para que podamos satisfacer las necesidades de otros. Nuestro Padre promete cuidarnos. ¡Quiere bendecirnos y prosperarnos! Si usted es un hombre de negocios, un empleado, un estudiante o un ama de casa, ponga sus planes delante del Señor. Recuerde que Dios se reveló como *El Shaddai...* el *Dios más que suficiente*. Por eso prometió bendecir a Abraham grandemente al igual que Él desea satisfacer nuestras necesidades y bendecirnos abundantemente de diferentes maneras. En realidad, el acto de dar nos refrena de volvernos materialistas.

Reflexión

¿Qué pasa si nuestro enfoque está en volvernos ricos (1 Timoteo 6:9)? ¿Cuál es el propósito verdadero para recibir la prosperidad de Dios?

Día 7

Si damos sacrificialmente, nuestras necesidades serán satisfechas

En el evangelio de Lucas 21, el Señor Jesús nos da una lección sobre la manera como Dios evalúa el acto de dar. Jesús y sus discípulos observaban que la gente ponía sus ofrendas en el tesoro del templo. Los ricos colocaban grandes cantidades de dinero porque fácilmente podían prescindir de ello, pero una pobre viuda colocó dos pequeñas monedas. Ella dio todo lo que tenía, y esto le demandó *un gran sacrificio*. Jesús expresó que la viuda había ofrendado más que todos porque ofrendó «sacrificialmente.»

No es la cantidad sino el sacrificio que esto implica. ¡Cuando damos con un corazón compasivo descubrimos que Dios cuidara de nuestras necesidades! Cuando damos con generosidad nuestro Padre promete... «.*Dios puede hacer que toda gracia abunde para ustedes, de manera que siempre, en toda circunstancia, tenga todo lo necesario, y toda buena obra abunde en ustedes... El que le suple semilla al que siembra también se suplirá pan para que coma, aumentará sus cultivos y hará que ustedes produzcan una abundante cosecha de justicia. Ustedes serán enriquecidos en todo sentido para que en toda ocasión puedan ser generosos, y para que por medio de nosotros la generosidad de ustedes resulte en ocasiones de gracias a Dios.*» (2 Corintios 9:8,10-11).

Usted puede dar escasamente o generosamente. Dios lo recompensará como corresponde «*Porque tal como juzguen se les juzgará, y con la medida que midan a otros, se les medirá a ustedes*» (Mateo 7:2). Cuando usted da sacrificialmente, Dios le vuelve a suplir lo que ha dado e incrementa su capacidad de dar. Cuánto más da, más le bendice y más puede dar. Dios quiere bendecirlo en términos financieros de modo que tenga lo suficiente para usted mismo y lo suficiente para compartir con los demás.

Reflexión

Recuerde algunos casos en los que dio sacrificialmente y Dios veló por sus necesidades.

CAPÍTULO 2

El diezmo

Versículo clave para memorizar

«Honra al Señor con tus riquezas y con los primeros frutos de tus cosechas. Así tus graneros se llenarán a reventar y tus bodegas rebosarán de vino nuevo.»
Proverbios 3:9-10

Día 1

Dar una parte de nuestros ingresos

El Señor nos hace responsables de los recursos que nos permite tener. Por eso ha establecido un sistema económico que nos recuerda constantemente *de quién es la riqueza*. Esta manera sistemática de dar es un primer paso que nos permite usar nuestros recursos para el reino de Dios. En el Antiguo Testamento se les pidió a los israelitas que dieran un décimo de todos sus ingresos para el Señor. La palabra hebrea para *diezmo* significa «*una décima parte*.» En la esencia de diezmar está la idea de que Dios es el dueño de todo. Por eso les pidió a los israelitas que le devolvieran lo que Él primeramente les dio. «*Honra al señor con tus riquezas y con los primeros frutos de tus cosechas. Así tus graneros se llenarán a reventar y tus bodegas rebosarán de vino nuevo.*» (Proverbios 3:9-10).

Honramos a Dios con «los primeros frutos» o con una porción de nuestros ingresos. Esto se hace para demostrar que él es el dueño de nuestras posesiones. Este diezmo (10%) abre una puerta para que Dios derrame sus bendiciones sobre nosotros. Cada vez que damos nuestros diezmos recordamos que nuestro dinero y nuestras posesiones materiales le pertenecen a Dios. Simplemente somos mayordomos responsables de lo que Dios nos ha dado. La palabra *diezmo* se menciona por primera vez en Génesis 14:18-20 «*Y Melquisedec, rey de Salén y sacerdote del Dios altísimo, le ofreció pan y vino. Luego bendijo a Abram con estas palabras: «¡Que el Dios altísimo, creador del cielo y de la tierra, bendiga a Abram! ¡Bendito sea el Dios altísimo, que entregó en sus manos a tus enemigos!*»

Abraham le dio al sacerdote Melquisedec un diezmo antes que la ley del Antiguo Testamento se hubiera escrito. Abraham estaba honrando al Señor con un diez por ciento de lo que él le había dado. Quizás aprendió este principio de Abel, quien trajo los primogénitos de su rebaño al Señor.

Cada fin de mes me enfrento a las cuentas que debo pagar. Una de estas cuentas es mi cuenta con Dios. Se llama *diezmo*. Este diezmo me recuerda que todo lo que tengo le pertenece a Dios. He aprendido a disfrutar el diezmo. Después de todo, el Señor Jesús me dio el 100% de su vida hasta morir en la cruz. ¡Estoy eternamente agradecido!

Reflexión

¿Por qué Dios requiere una parte de nuestros ingresos? ¿Qué simboliza el diezmo?

Día 2

No trate de robarle a Dios

En 1992, durante los disturbios de Los Ángeles, California, tuvo lugar un saqueo en muchas tiendas y negocios de esa ciudad. Un reportero preguntó a un joven qué cosas había robado. Este le dijo: «Robé películas cristianas porque soy cristiano». Posiblemente usted piensa que esto suena ridículo. Sin embargo, de manera análoga vemos a muchos cristianos que le roban a Dios al guardar para sí lo que en realidad le pertenece al Señor —el diezmo.

En la historia del Antiguo Testamento vemos que algunos israelitas le robaban a Dios al retener egoístamente el dinero que le pertenecía. A los israelitas se les pedía dar al menos una décima parte del ganado, del producto de la tierra, y de sus ingresos al Señor. Además se les pedía traer otras ofrendas en forma de sacrificios y ofrendas voluntarias. Pero Dios dice que ellos lo retenían: «*¿Robará el hombre a Dios? Pues vosotros me habéis robado. Y dijisteis: ¿En qué te hemos robado? En vuestros diezmos y ofrendas. Malditos sois con maldición, porque vosotros, la nación toda, me habéis robado. Traed todos los diezmos al alfolí y haya alimento en mi casa; y probadme ahora en esto, dice Jehová de los ejércitos, si no os abriré las ventanas de los cielos, y derramaré sobre vosotros bendición hasta que sobreabunde. Reprenderé también por vosotros al devorador, y no os destruirá el fruto de la tierra, ni vuestra vid en el campo será estéril, dice Jehová de los ejércitos.*» (Malaquías 3:8-11 RV).

Cuando los israelitas le preguntaron a Dios en qué le estaban robando, él respondió claramente: «En los diezmos y ofrendas». Note que Dios no sólo nos dice que traigamos «diezmos» sino también «ofrendas». Hablaremos sobre las ofrendas en el capítulo 3.

Hoy en día muchas personas le están robando a Dios de la misma manera. El Señor nos ha prometido que si le obedecemos y traemos todos nuestros diezmos al alfolí, abrirá las ventanas del cielo, verterá una bendición sobre nosotros y «reprenderá al devorador». Muchas personas tienen luchas en el aspecto financiero porque el diablo los está engañando, robando y devorándolos. A pesar de eso, el Señor no ha reprendido a los enemigos de los que no están dando sus diezmos. Somos bendecidos a medida que Dios reprende al devorador cuando diezmamos. Sin embargo, nuestra motivación primaria para diezmar no debe ser la de ser retribuidos por Dios sino la obediencia —a Dios y Su Palabra.

He conocido a algunos creyentes que dicen que cuando empezaron a diezmar, el diablo los atacaba y que habían empeorado en términos financieros como nunca antes. El enemigo quizás nos pruebe cuando obedecemos la Palabra de Dios. Cuando Jesús se bautizó, Dios Padre dijo: «Tú eres mi hijo amado; estoy muy complacido contigo.» Pero inmediatamente, durante los cuarenta días que siguieron, Jesús fue probado por Satanás. Las pruebas siempre vendrán; sin embargo, si resistimos recibiremos la bendición que procede de la obediencia. ¡Las promesas de Dios siempre resultan ser verdaderas!

Cuando yo era misionero, Satanás me probó en el área del diezmo. «Tú diste tu vida entera a Dios» —me decía; «¿Cómo podría el Señor esperar que le devuelvas el diezmo de la pequeña cantidad de dinero que estás recibiendo?» Por la gracia de Dios rechacé las mentiras del diablo y empecé a diezmar de la pequeña cantidad de dinero que el Señor me daba cada mes. El Señor nos bendijo una y otra vez de una manera sobrenatural mientras servimos en el campo misionero. Yo sé que Dios es fiel. Él honra Su Palabra.

Reflexión

¿Qué promete Dios en Malaquías 3, si traemos nuestros diezmos al «alfolí»?

Día 3

El diezmo es una cuenta con Dios

El diezmo es una expresión numérica que nos recuerda que todo lo que tenemos le pertenece a Dios. Hace algunos años estaba leyendo el libro de Malaquías y recibí una acusación del Señor en el área del diezmo. En aquel momento revisé mi libro de contabilidad. Tenía una lista completa de cuentas. De hecho, encontré que en una de mis cuentas no estaba pagando el diezmo, y por lo tanto, cada mes mi cuenta con Dios crecía. Pensaba que no tenía suficiente dinero para diezmar.

Un día decidí obedecer a Dios. Cuando recibí mi siguiente cheque le pagué todos mis diezmos al Señor. Al poco tiempo vi que algo sobrenatural había sucedido después de haber comenzado a diezmar. ¡Parecía que nuestro dinero duraba más! El Señor empezó a suplirnos en el aspecto financiero de un modo sobrenatural. No sucedió de la noche a la mañana, pero Dios empezó a bendecirnos de una nueva forma y reprendió al devorador.

Algunos dicen: «No tengo nada para diezmar». La verdad es que no pueden retener el diezmo. El diezmo es una suma de dinero separado para Dios. No importa la cantidad. Si no se lo damos a Dios, el devorador lo consumirá. Leamos de nuevo lo que Dios dice en Su Palabra sobre reprender al devorador cuando damos diezmos y ofrendas en su alfolí.... (Malaquías 3:11 RV).

La palabra *devorar* en el texto hebreo original significa *comer, agotar o consumir*. En los días de Malaquías el pueblo del Señor estaba experimentando hambruna, escasez, clima inoportuno, e insectos que devoraban los frutos de la tierra. Según las Escrituras citadas, el enemigo devorará nuestras bendiciones cuando optemos por no diezmar. Cuando nos salimos del paraguas de la protección de la obediencia a la Palabra de Dios con respecto al diezmo, le damos al enemigo el derecho legal de devorar nuestras bendiciones.

Según el diccionario de la Real Academia, *«diezmo es el derecho del diez por ciento que se pagaba al rey sobre el valor de las mercaderías que se traficaban y llegaban a los puertos, o entraban y pasaban de un reino a otro.»* Cuando usted paga sus impuestos al gobierno, ¿*siente* que es justo pagarlos? ¿Tenemos que *sentir* que es justo devolver nuestro diezmo a Dios? Desde luego que no. *Debemos sentir* que el diezmo es un mandamiento y tenemos que diezmar en *obediencia* a Dios.

Imagine que va al banco a saldar un préstamo o a redimir una hipoteca. ¿Cómo reacciona la cajera cuando pagamos? ¿Nos da una palmadita en la espalda y nos dice lo mucho que aprecia que vengamos a pagar nuestra deuda? No; y tampoco debemos esperar que Dios nos dé una palmadita en la espalda cuando diezmamos. De cualquier modo, todo lo que existe le pertenece. Nuestra responsabilidad es diezmar y lo hacemos por obediencia.

Reflexión

¿Quién devorará nuestro dinero si no diezmamos? ¿De qué manera ha experimentado las bendiciones de Dios al diezmar?

Día 4

Dar de una manera sistemática

El Señor quiere que aprendamos a dar de una manera *sistemática,* así como se les animaba a los creyentes a hacerlo en 1 Corintios 16:2 *«El primer día de la semana, cada uno de ustedes aparte y guarde algún dinero conforme a sus ingresos, para que no se tengan que hacer colectas cuando yo vaya.»*

Algunos creyentes afirman que «siguen la guía del Espíritu» en cuanto al hecho de cuándo diezmar. Eso es como llamar a la compañía de la electricidad para decirles: «No estoy seguro de pagar mi cuenta este mes. Quizás pague el próximo mes. Solo voy a seguir al Espíritu. Si no pago, el servicio de luz será desconectado. La Palabra de Dios nos enseña a diezmar de una manera sistemática como un acto de obediencia, no sólo cuando «sentimos» que debemos hacerlo.

Imagine que usted llama a su empleador y le dice: «Iré a trabajar cuando piense que el Espíritu me mueva a hacerlo». ¿Sabe lo que ocurrirá? ¡Probablemente perderá su trabajo! El mismo principio se aplica a dar el diezmo de una manera sistemática. Pero también debemos seguir al Espíritu cuando nos mueve a dar por encima de nuestros diezmos. Sin embargo, nuestro Dios es un Dios de orden y disciplina. Nos instruye a diezmar de una manera sistemática para que no tengamos que «ponernos al día» cuando seamos incumplidos.

Algunos creyentes dicen: «Oraré con respecto al diezmo». Eso es como preguntarle a Dios si debemos leer la Biblia o si debemos ser parte de una iglesia. Estos principios son tan claros en la Palabra de Dios como lo es el diezmo.

Otras veces me han preguntado: «¿Debo diezmar del saldo que queda después de pagar mis impuestos al gobierno o del monto total?» Entonces yo les pregunto: ¿Cuándo pagamos impuestos al gobierno, pagamos del sueldo neto o del monto total? Obviamente, pagamos lo que dice el monto total o sueldo total. Como cristianos debemos dar todo lo que posiblemente podamos a Dios debido a lo que su hijo Jesús ha hecho por nosotros. Recuerde: el diezmo no es una opción. Es un acto de obediencia. Es un privilegio devolver a Dios lo que le pertenece.

Reflexión

¿Por qué es importante dar de una manera sistemática? ¿Qué nos enseña esto?

Día 5

Actitudes hacia el diezmo

A veces los cristianos creen que el diezmo es simplemente una doctrina del Antiguo Testamento. El Dr. Bill Hamon dice: «Un principio divino de la interpretación es que cualquier cosa que fue establecida en el Antiguo Testamento continúa siendo adecuada como principio o práctica a menos que en el Nuevo Testamento se prescinda de ella. Por ejemplo, el diezmo fue establecido en el Antiguo Testamento; pero puesto que no hay nada que se declare en el Nuevo Testamento que lo haga abolir, todavía es una práctica correcta para los cristianos»[1]

El Señor Jesús confirma el principio del Antiguo Testamento de dar el diezmo. Sin embargo, no quiere que diezmemos con la actitud de los escribas y fariseos que describe Mateo 23:23. Con severidad el Señor reprendió sus actitudes sobre el diezmo. «*¡Ay de ustedes, maestros de la ley y fariseos, hipócritas! Dan la décima parte de sus especias: la menta, el anís y el comino. Pero han descuidado los asuntos más importantes de la ley, tales como la justicia, la misericordia y la fidelidad. Debían haber practicado esto sin descuidar aquello.*» Los religiosos fariseos tenían la apariencia de ser espirituales pero no estaban en mejor situación con Dios. Diezmaban hasta la última diminuta hoja de menta pero sus corazones eran duros y egoístas.

El Señor afirma que debemos diezmar en la actualidad pero está preocupado en cuanto a nuestras actitudes cuando le damos. En el Antiguo Testamento el pueblo de Dios diezmaba porque la ley lo requería. A partir del Nuevo Testamento debemos diezmar porque el Señor ha cambiado nuestros corazones. Es un privilegio devolverle el diezmo. Diezmamos como un acto de amor hacia nuestro Dios, con un corazón generoso y con amor para los demás.

Imaginemos que usted me pide que venga a vivir en su casa. La única condición es que mensualmente tengo que pagar el 10% de todas las cosas que usted me da. Usted llena la refrigeradora, pone combustible en el carro y provee para mis gastos. Sería ridículo de mi parte empezar a pensar que todo es mío. En realidad, nada es mío porque todo le pertenece a usted. Dar el diez por ciento me recuerda que todo le pertenece a usted. De todo esto trata el diezmo. El propósito del Señor para diezmar es recordarnos que todo lo que tenemos le pertenece.

Reflexión

¿Qué actitud tiene cuando recibe de Dios? ¿Qué está aprendiendo sobre el diezmo?

Día 6

Dios proveerá

Cuando reconocemos que todo lo que somos y tenemos le pertenece al Señor, será más fácil confiar en que él nos provea cuando diezmamos. Aunque no tengamos mucho, Dios provee lo necesario. El Acto de dar hace que manejemos bien nuestras finanzas y este buen manejo nos libera. Aprendamos la lección de la viuda que echó una moneda pequeña (una fracción de un penique) en el tesoro del templo. Ella se sacrificó más que otros que echaron grandes cantidades porque ella dio «todo lo que tenía.» *Jesús llamó a sus discípulos y les dijo: «Les aseguro que esta viuda pobre ha echado en el tesoro más que todos los demás. Éstos dieron de los que les sobraba; pero ella, de su pobreza, echo todo lo que tenía, todo su sustento».* (Marcos 12:43-44).

Dios conoce nuestros corazones y honra nuestra obediencia en el diezmo. Podría parecer que el diezmo es un sacrificio, pero a la larga nos ayuda a tener dominio sobre nuestro dinero en vez de que éste lo haga sobre nosotros.

¿Qué pasa con los que no pueden diezmar? Por ejemplo, si su pareja no es creyente quizás tenga una seria discusión al respecto. Quizás él o ella no quiera diezmar. Si su pareja no está de acuerdo en diezmar, usted no puede dar algo que no es suyo. Si usted es co-propietario de un restaurante, no diezme todo el dinero que usted recibe porque la mitad le pertenece a su socio. De la misma manera, usted no debe «regalar» el dinero de su familia en contra de los deseos de su pareja.

A continuación presentamos algunas sugerencias: Acuda a su pareja en fe. Por ejemplo, usted podría decirle: «¿Podría yo dar algún dinero a la iglesia cada semana de manera regular?» Pida y permita que el Espíritu Santo obre en el corazón de él o ella. Pida al Señor que le de una suma de dinero personal para diezmar. De vez en cuando quizás genere algo de dinero en un trabajo adicional — podría diezmar de ese dinero. Recuerde: Dios mira nuestros corazones y honra nuestra obediencia sin importar qué tan pequeño sea nuestro diezmo.

Reflexión

Explique la manera en que la viuda pobre puso más dinero en el tesoro del templo que el rico. ¿Cree usted que Dios satisfará sus necesidades cuando diezme?

Día 7

¿A dónde debe ir el diezmo?

¿A dónde debemos llevar nuestros diezmos? Como lo aprendimos antes, Malaquías 3:10a dice: «*traed los diezmos al alfolí...*» *RV*

Según esta porción de la Sagrada Escritura, todos los diezmos deben colocarse en el alfolí. El alfolí es el lugar donde se guarda el alimento espiritual para bendecir a los que nos guían, nos alimentan y nos equipan para el ministerio espiritual. En el Antiguo Testamento, los levitas y los sacerdotes eran responsables de conducir espiritualmente al pueblo de Dios. El diezmo se pagaba como estipendio por el trabajo de aquellos que eran apartados con el propósito de ministrar al Señor y a su pueblo. Los levitas dependían de la fidelidad del pueblo de Dios para su sostenimiento. «*A los levitas les doy como herencia, y en pago por su servicio en la Tienda de reunión, todos los diezmos de Israel*». (Números 18:21).

Puesto que el Antiguo Testamento es el «arquetipo y precursor» del Nuevo Testamento, el principio sobre el lugar dónde se debe diezmar se aplica al Nuevo Testamento. Debemos diezmar en el alfolí de nuestros líderes espirituales, porque han sido llamados a ministrar y animarnos.

Los lideres de las iglesias son llamados a «capacitar al pueblo de Dios para la obra del servicio.» (Efesios 4:11-12). Es necesario que sean apoyados financieramente para que se puedan consagrar a la oración y a ministrar la Palabra de Dios a los santos que están bajo su cuidado. En Hechos 6:4, los líderes de la iglesia primitiva sabían que su responsabilidad era «prestar atención a la oración y al ministerio de la Palabra» de manera perseverante.

Un hombre me dijo en cierta ocasión: «Doy mis diezmos cuando veo una necesidad concreta.» Este hombre no lo sabía, pero él no estaba dando el diezmo sino una ofrenda. Una *ofrenda* es algo que usted da por encima del 10%. Los diezmos son el primer 10% de nuestros ingresos que se llevan al alfolí y que sirven para sostener a los líderes de la iglesia local. «*Los ancianos que dirigen bien los asuntos de la iglesia son dignos de doble honor especialmente los que dedican sus esfuerzos a la predicación y a la enseñanza.»* (1 Timoteo 5:17*)*. La palabra *honor* se refiere a *dar financieramente* a los que laboran entre nosotros al brindarnos cuidado espiritual, oración, enseñanza y capacitación en la Palabra de Dios.

Ahora sabemos qué es el diezmo y a dónde se debe llevar. Examinaremos la importancia de dar tanto los diezmos *como* las ofrendas en el siguiente capítulo.

Reflexión

¿Quién debe ser financiado a partir del «alfolí »?

Nota

1. Dr. Bill Hamon, *Prophets And The Prophetic Movement*, (Shippensburg, PA: Destiny Image Publishers, 1990), p. 197.

CAPÍTULO 3

Entregue tanto los diezmos como las ofrendas

Versículo clave para memorizar

«Porque donde esté tu tesoro, allí estará también tu corazón.»
Mateo 6:21

Día 1

La diferencia entre un diezmo y una ofrenda

Como aprendimos en el capítulo anterior, debemos velar por las necesidades de los que nos dan guía espiritual. Cuando colocamos nuestros diezmos en el alfolí —iglesia local donde nos alimentamos espiritualmente— estamos supliendo las necesidades de nuestros líderes espirituales. Gálatas 6:6 dice que a los que se nos enseña con la palabra de Dios debemos de ayudar a proveer ayuda material a los que nos instruyen. «*El que recibe instrucción en la palabra de Dios, comparta todo lo bueno con quien le enseña.*»

Los versículos 7-10 de ese mismo capítulo continúan diciendo que si nos negamos a brindar apoyo a los líderes, sembramos egoísmo y cosechamos destrucción. Pero si damos con alegría, «hacemos el bien a todas las personas, especialmente a aquellas que pertenecen a la familia de creyentes.» Los líderes fieles de nuestra iglesia merecen todo nuestro apoyo (1 Corintios 9:14, 3 Juan 6-8, 1 Timoteo 5:18).

Dar el diezmo a la iglesia local debe ser nuestra prioridad financiera. Sin embargo, este es sólo el punto de partida. Necesitamos dar más y sobrepasar nuestros diezmos. La «ofrenda» es el dinero que se da por encima del diez por ciento. Nosotros deberíamos dar ofrendas para muchos programas, lugares y causas dentro de la iglesia y fuera de ella. Como cristianos tenemos la responsabilidad de dar a los pobres, especialmente a los que son de nuestra iglesia. Siempre se nos incentiva a preocuparnos por los pobres. Jesús espera que su pueblo dé generosamente a los pobres. Proverbios 28:27 dice: «*El que ayuda al pobre no conocerá la pobreza*».

Asimismo, debemos dar aquellos que nos alimentan espiritualmente, que son de otros lugares y no son parte de nuestra iglesia local. Por Ejemplo a través de un ministerio televisivo, un libro o un ministerio laico. Estos son algunos de los muchos lugares donde podemos ofrendar.

He escuchado a muchos maestros de la Biblia en la radio que dicen: «No me envíen sus diezmos, envíenme sus ofrendas, o sea, lo que sobrepasa el diez por ciento. Tu diezmo pertenece a tu iglesia local». Creo que estos maestros de las Sagradas Escrituras han discernido apropiadamente la diferencia entre los diezmos y las ofrendas. En conclusión, nuestro diezmo debe ir al alfolí de tu iglesia local, y nuestras ofrendas deben ir donde nosotros, alegre, voluntaria y generosamente veamos que Dios nos está guiando a dar.

Reflexión

¿Cuál es su responsabilidad para los que le enseñan (Gálatas 6:6)? En sus propias palabras explique la diferencia entre diezmo y ofrenda.

Día 2

Asuntos del corazón y del dinero

Generalmente pensamos que nuestras finanzas son el área más importante de nuestra vida. Mateo 6:21 dice que donde esté nuestro dinero, ahí estará nuestro corazón. «*Porque donde esté tu tesoro, allí estará también tu corazón.*»

Es cierto que las riquezas pueden demandar toda la lealtad de su corazón. Por eso es que Dios nos dice en Mateo 6:19-24 que debemos decidir en nuestros corazones servir a Dios y no al dinero. Las personas que colocan su dinero en la bolsa de valores, de inmediato revisan la sección de la bolsa cuando reciben el periódico. ¿Por qué? Porque ahí es donde descansan sus intereses y a ellos les preocupa mucho su estabilidad financiera y donde van sus recursos. El lugar donde damos nuestros diezmos y nuestras ofrendas nos muestra qué es lo que más valoramos en nuestra vida.

Ya que el Señor nos ha llamado a apoyar fielmente a nuestra iglesia local, es importante que pongamos nuestros diezmos en el alfolí de nuestra iglesia. Alentemos al pueblo de Dios a diezmar fielmente en obediencia al Señor. Porque cuando lo hacemos nuestro corazón esta con el pueblo de Dios y con los que le sirven. Por consiguiente diezmar es un asunto del corazón y no una ley. Si hemos decidido en nuestro corazón apoyar a nuestra iglesia local y lideres, llevaremos nuestros diezmos con gozo al alfolí.

Dar el diezmo es un acto que muestra confianza en nuestros líderes. Cuando no estamos dispuestos a diezmar empezamos a sembrar semillas de desconfianza. Diezmar es una prueba de fe en Dios y confianza en aquellos que Dios ha puesto para liderar nuestra vida espiritual.

Reflexión

¿Qué es lo que nos enseña Mateo 6:21 sobre nuestros corazones? ¿Por qué el diezmar es un asunto del corazón y no una ley?

Día 3

El diezmo —una prueba de confianza

Vamos a tomarnos un momento para repasar lo que hemos aprendido. El diezmo es el 10% de nuestros ingresos —un recordatorio de que todo lo que tenemos le pertenece al Señor. Las ofrendas son dádivas que le llevamos al Señor, a su gente y a su obra (sobrepasan el 10%). De la misma manera que el no perdonar abre la puerta al enemigo para traer depresión y confusión (Mateo 18: 34-35), robarle a Dios en el diezmo abre la puerta al enemigo para quitarnos las bendiciones. Debemos confiar en Dios y apoyar su obra con nuestros diezmos, de acuerdo con lo que dice Malaquías 3:10b *«Pónganme a prueba en esto, dice el Señor....»*

Dios nos habla de fe y confianza cuando nos dice que diezmemos en su alfolí, el lugar donde se guardaban las provisiones para los levitas que servían al pueblo de Dios. El pueblo de Dios daba al alfolí, en fe, porque ellos confiaban en que los levitas iban a distribuir el dinero apropiadamente. Actualmente se aplica el mismo principio de fe: el diezmo se lleva al alfolí de la iglesia local para suplir las necesidades de nuestra iglesia. El plan de Dios es que aquellos que nos guían espiritualmente sean apoyados con los diezmos. *«Si hemos sembrado semilla espiritual entre ustedes, ¿será mucho pedir que cosechemos de ustedes lo material? Si otros tienen derecho a este sustento de parte de ustedes, ¿no lo tendremos aún más nosotros? Sin embargo, no ejercimos este derecho, sino que lo soportamos todo con tal de no crear obstáculo al evangelio de Cristo. ¿No saben que los que sirven en el templo reciben su alimento del templo, y los que atienden el altar participan de lo que se ofrece en el altar? Así también el Señor ha ordenado que quienes predican el evangelio vivan de este ministerio.»* (1 Corintios 9: 11-14).

Usted se preguntará: «¿dónde debe diezmar el pastor o el anciano de la iglesia?». En algunas iglesias el pastor diezma al alfolí de los que le dan ánimo y a los que rinde cuentas. A menudo éste es un equipo de líderes en la denominación o confraternidad de iglesias.

Reflexión

¿De qué forma es la confianza parte de la acción del diezmar?

Día 4

Una pregunta: ¿Está usted diezmando?

Malaquías 3:8-12 pregunta: «¿Le ha robado usted a Dios?». Nuestra respuesta es generalmente: «¿Quién yo? ¿Cómo podría yo hacer eso?». Y luego el Señor nos dice cómo le estamos robando: «en nuestros diezmos y ofrendas». ¿Está usted diezmando? Si no lo está haciendo, le está robando a Dios. Hoy es el día para arrepentirse delante del Señor y empezar a diezmar en obediencia a la Palabra de Dios.

Quizá usted esté desobedeciendo a Dios reteniendo el diezmo y las ofrendas porque tuvo una mala experiencia en el pasado. Una persona joven que es producto de un hogar desecho quizá no quiera casarse porque ha sido testigo de los conflictos matrimoniales entre sus padres. Sin embargo, el matrimonio sigue siendo un plan maravilloso de Dios. Aunque usted haya tenido malas experiencias en iglesias donde el diezmo haya sido mal usado, el diezmo sigue siendo el plan perfecto de Dios. Necesitamos avanzar «*...olvidando lo que queda atrás y esforzándome por alcanzar lo que está adelante. Sigo avanzando...*» (Filipenses 3:13-14a).

El Señor va a honrarlo al reprender al enemigo y va a abrir las ventanas de los cielos. También encontrará un nuevo sentido de confianza en su Dios y confiará en sus pastores que le sirven en las áreas de liderazgo espiritual.

Reflexión

Si le estamos robando a Dios, ¿qué debemos hacer? Si hemos tenido malas experiencias, ¿qué es lo que Filipenses 3:13-14 nos anima a hacer?

Día 5

¿Está usted diezmando para el alfolí?

Dios nos dice en Malaquías 3 dónde debemos diezmar. Él promete derramar una gran bendición sobre quienes son obedientes «*... si no os abriré las ventanas de los cielos, y derramaré sobre vosotros bendición hasta que sobreabunde.*» (Malaquías 3:10b RV60).

Dios quiere bendecirnos, pero debemos diezmar en el alfolí. ¿Acaso estamos diezmando en otro lugar? ¡Eso sería como comprar una hamburguesa en McDonalds y pagarla en el Burger King! En el

Antiguo Testamento, cuando el diezmo no llegaba al alfolí los levitas no podían cumplir con sus responsabilidades. Eso también es cierto en la actualidad. En algunas iglesias los pastores están teniendo problemas financieros porque los diezmos están siendo retenidos en las congregaciones en las cuales sirven. En consecuencia, no tienen suficiente tiempo para servir al pueblo de Dios, porque necesitan mantenerse «haciendo carpas» o negocios particulares. El enemigo, puede devorar al pueblo de Dios a través de la desobediencia. Algunos líderes como el apóstol Pablo optan por «hacer carpas» y esto es aceptable si es que el Señor le guía a hacerlo.

¿Cuáles son algunos ejemplos de desviación de los diezmos? Dar nuestros diezmos a los ministerios laicos, misioneros, evangelísticos u otros ministerios eclesiásticos son apenas algunos ejemplos. Aunque hay muchos misioneros, evangelistas y obreros cristianos que necesitan nuestro apoyo financiero, ellos deben ser apoyados a través de *ofrendas* y no a través de *diezmos.* Si les damos nuestros diezmos podemos abrir una puerta de incredulidad o falta de confianza al interior de nuestra iglesia. El diezmo debe ser colocado en el alfolí de nuestra iglesia, para ser distribuido y apoyar: a quienes nos brindan protección espiritual y nos equipan para el ministerio

Para poner en claro un «malentendido en cuanto a diezmar», David Wilkerson, fundador de Teen Challenge y pastor de la iglesia *Times Square* en la ciudad de Nueva York, escribió hace algún tiempo en su boletín: «De acuerdo con lo que dije recientemente acerca de enviar sus diezmos a nuestro ministerio, he recibido cerca de 35 cartas, muchas de pastores en las que se me recuerda con amor que los diezmos pertenecen a la iglesia local. Estoy completamente de acuerdo. Debí de aclarar lo que dije. Tenemos un buen número de lectores que no asiste a la iglesia adecuada. Pero los creyentes deben encontrar una iglesia que sea su hogar y apoyarla. Sin embargo, hasta cuando eso ocurra, mis mensajes son el único alimento espiritual que ellos reciben. Es un hecho arrollador que los que apoyan este ministerio son fieles en servir a su iglesia local y ofrendan por encima de sus diezmos.»

Otra pegunta frecuente es: ¿Está usted diezmando al alfolí, pero destinando su diezmo premeditadamente? Algunos creyentes están dispuestos a diezmar pero tratan de controlar a la iglesia al retener el diezmo o una parte de esté teniendo como meta manipular, para lo que ellos quieren. Cuando pagamos nuestros impuestos no le decimos al gobierno que invierta una parte en el ejército y otra en comprar muebles para el presidente. De la misma manera, cuando diezmamos debemos confiar en que nuestros líderes espirituales van a distribuir el dinero de manera que honre al Señor.

Reflexión

¿Qué es lo que Dios nos promete si diezmamos al alfolí (Malaquías 3:10)? ¿Qué hay de malo en indicar dónde queremos que vaya nuestro diezmo en nuestra iglesia local?

Día 6

Excusas para robar a Dios

Hay muchas razones por las cuales los cristianos roban a Dios en los diezmos y las ofrendas. Una de esas razones es simplemente la **ignorancia**. «*Pero, Dios, habiendo pasado por alto los tiempos de esta ignorancia, ahora manda a todos los hombres en todo lugar, que se arrepientan.*» (Hechos 17:30 RV). Si usted ha ignorado esta verdad, puede arrepentirse y empezar a obedecer esta verdad espiritual. Nosotros servimos a un Dios misericordioso. Él desea bendecirnos cuando le obedecemos. Algunas personas no diezman ni dan ofrendas en franca **desobediencia a la Palabra de Dios**. Si decimos conocer a Dios pero no deseamos obedecer su Palabra, las Escrituras nos dicen que somos mentirosos. «*...si no obedece sus mandamientos, es un mentiroso, y no tiene la verdad.*» (1 Juan 2:4).

Otra razón por la que algunos creyentes no dan sus diezmos y ofrendas es porque tienen **deudas personales**. La Biblia dice en Gálatas 6:7 que «*...cada uno cosecha lo que siembra.*» El no dar podría ser una razón para estar endeudado. He leído sobre un hombre de negocios cristiano que debía diez veces más que su salario anual. Sin embargo, obedeció al Señor y empezó a diezmar y a dar ofrendas sacrificiales. En los próximos años vio que su situación financiera cambió por completo. Dios lo prosperó y se convirtió en pastor de una iglesia. Entonces el Señor empezó a usarlo para enseñar la verdad sobre los diezmos y las ofrendas y dar a cientos de personas en su comunidad.

Si usted se encuentra endeudado, busque el consejo de hombres cristianos confiables que sean sabios en estas cosas. Puede que usted necesite desarrollar nuevos hábitos en la gestión financiera. Hace muchos años un amigo cristiano me enseñó cómo hacer un presupuesto. Administrar recursos con un presupuesto bien elaborado ha sido una verdadera bendición para mí. Un presupuesto no va a controlar nuestras finanzas pero nos va a dar una buena idea sobre cómo administrarlas.

Otras personas no dan diezmos y ofrendas porque piensan que son **demasiado pobres**. El Señor no está interesado en la cantidad de dinero que damos; está más interesado en la actitud que tenemos cuando damos. Aunque tengamos poco, podemos dar en proporción a lo que Dios nos ha dado. Si no damos nada somos como el agricultor que se come la semilla y no tiene para sembrar al siguiente año. Si nos comemos la semilla —al utilizar nuestro diezmo para algo a lo que no ha sido destinado—, estamos reteniendo la bendición de Dios.

Esto nos lleva a otra razón por la que muchos creyentes retienen sus diezmos y ofrendas. Simplemente **no confían en sus líderes**. Si no confiamos en que los líderes de nuestra iglesia puedan administrar nuestros diezmos, necesitamos pedirle gracia al Señor para confiar en ellos. Pero si todavía no podemos confiar en ellos, quizás estemos en una iglesia equivocada. 1 Corintios 12:18 nos dice que Dios nos pone en el cuerpo de Cristo según su deseo. No es la iglesia que *nosotros* escogemos sino la que *Él* escoge para nosotros. Necesitamos estar con un grupo de creyentes donde haya un sentido de fe y confianza en el liderazgo.

Reflexión

¿Alguna vez ha usado cualquiera de estas excusas para no diezmar? Explique.

Día 7

Reciba una nueva libertad

Si usted no está diezmando, lo exhorto a empezar ahora. Usted recibirá una nueva libertad en su vida y en sus relaciones con otros. En segundo lugar, pídale a Dios que lo bendiga de una manera que usted pueda dar ofrendas generosas. Hay muchos ministerios que son dignos de nuestras dádivas y ofrendas; sin embargo, asegúrese dónde da. El señor nos hace responsables de dar ofrendas a ministerios intachables.

Recuerde: diezmar es una prueba de confianza en la cual nuestro Dios ha prometido reprender al enemigo y abrir las ventanas de los cielos. También significa confianza en los líderes de nuestra iglesia. El Señor nos quiere dar libertad para diezmar y ofrendar con gozo. Él desea bendecirnos como hijos que obedecen su voz. Juan 8: 36 nos dice: «*Así que si el hijo los libera, serán ustedes verdaderamente libres.*»

Que el Señor lo bendiga y abra las ventanas del cielo para que usted sea bendecido a medida que camina en obediencia a estas verdades espirituales. En el último capítulo de este libro veremos cómo administrar el dinero y las riquezas materiales con las cuales el Señor nos ha bendecido.

Reflexion

Describa como aprendio a dar con libertad, tanto diezmos como ofrendas.

CAPÍTULO 4

Cómo financiar los recursos que Dios le ha dado

Versículo clave para memorizar

«Recuerden esto: El que siembra escasamente, escasamente cosechará, y el que siembra en abundancia, en abundancia cosechará.»
2 Corintios 9:6

Día 1

Seamos fieles con lo que tenemos

Los recursos y posesiones que el Señor nos ha dado le pertenecen a él. Simplemente somos administradores de lo que él nos ha dado. La primera Carta a los Corintios 4:2 dice: «*...a los que reciben un encargo se les exigen que demuestren ser dignos de confianza.*» Se nos ha confiado el dinero de Dios y debemos usarlo para honrar a Dios y edificar su reino. Debemos usar con fidelidad lo que Dios nos ha dado.

El Señor también quiere que estemos satisfechos con los recursos que él nos ha dado. Pablo dijo: «*...pues he aprendido a estar satisfecho en cualquier situación en que me encuentre.*» (Filipenses 4:11). *Estar satisfecho* significa estar *libre de quejas*. Nuestra familia ha vivido a veces con muy poco y otras veces hemos recibido abundantes bendiciones. En los dos casos, Dios nos ha llamado a estar satisfechos por encima de nuestras circunstancias cambiantes.

A menudo las personas quieren que sus necesidades sean satisfechas de manera inmediata. Por eso se encuentran sumidas por completo en deudas impagables. Éste es un error financiero que genera mucho descontento. También es un error querer volverse rico rápidamente en lugar de pagar el precio en obediencia al Señor, día a día. Para esas personas, este tipo de «pensamiento parecido a una lotería» o «esperar hasta que venga una oportunidad es un pensamiento de pobreza». Si nos centramos en una oportunidad que venga a la distancia, estaremos impedidos de avanzar en términos financieros. Lo cierto es que el progreso financiero les viene a los que aplican los principios de Dios de una manera consistente y a largo plazo (Hebreos 6:12).

¿Recuerda la parábola de los talentos en Mateo 25:14-30? Un hombre recibió cinco talentos y fue fiel con los cinco. Otro hombre fue fiel con dos talentos. El Señor sabía que él era lo suficientemente responsable como para manejar los dos talentos. El tercer hombre sólo recibió uno. ¿Por qué le dio Dios sólo un talento? Porque era todo lo que podía manejar en ese momento. Dios sabe lo que podemos manejar. Cuando somos fieles, nos bendice aún más.

Reflexión

¿Cuál es el primer requisito de un buen administrador según 1 Corintios 4:2? ¿Por qué son perjudiciales los esquemas de «volverse ricos rápido»?

Día 2

Proveamos para nuestras familias

El Señor quiere bendecirnos en términos financieros para satisfacer las necesidades de nuestras familias. «*El que no provee para los suyos, y sobre todo para los de su propia casa, ha negado la fe y es peor que un incrédulo*». (1 Timoteo 5:8).

Porque incluso cuando estábamos con ustedes, les ordenamos: «el que no quiera trabajar, que tampoco coma.» (2 Tesalonicenses 3:10*).*

Un hombre entregó su vida al Señor y estaba convencido de que debería pasar todo su tiempo predicando. Pasaba su tiempo en la playa testificando mientras su familia no tenía qué comer. Creía que de algún modo Dios estaría obligado a proveer para su familia porque él estaba haciendo «la obra de Dios». Cuando sus amigos cristianos le exigieron cuidar a su familia se puso a la defensiva. «¿No estaba él hablando a otros de Jesús? ¿Qué podría ser más importante que eso?» La verdad era que estaba desobedeciendo la Palabra de Dios. El Señor no le estaba diciendo que estuviera fuera de la casa testificando mientras su familia no era atendida de manera adecuada.

Si el Señor lo llama a usted como misionero a que «viva por fe», es importante no hacerlo a expensas de su familia. He tenido el privilegio de proclamar el evangelio y enseñar a líderes cristianos en varias partes del mundo pero mi responsabilidad primaria es con mi familia. Cualquier cristiano que se niega a proveer para su familia ha negado la fe y es peor que un incrédulo.

Algunos me dicen: «Quiero involucrarme en un ministerio de tiempo completo con el apoyo de la iglesia». Este puede ser un noble deseo; sin embargo, la verdad es que todo el mundo esta involucrado en un ministerio a tiempo completo. Es llamado a ministrar en su trabajo.

Entonces, ¿para qué trabajamos? ¿Es acaso para tener posesiones materiales? De ninguna manera. La Biblia nos dice que trabajamos para darle al que está en necesidad (Efesios 4:28). Esto empieza con proveer para sus propias familias y ayudar a los que el Señor ha puesto a su alrededor. Recuerde que es una bendición poder trabajar. No espere encontrar un trabajo perfecto. Empiece en algún lugar y Dios le dará el trabajo perfecto a medida que usted vaya siendo fiel con él y con la oportunidad que le ha dado.

Reflexión

¿Qué nos enseña 1 Timoteo 5:8 sobre el cuidado de nuestras familias? Examine su vida; ¿son las razones que lo motivan a trabajar las correctas?

Día 3

Cómo invertir las riquezas de nuestro Señor

¿Cómo invertimos las riquezas de nuestro Señor para edificar su reino de modo que le honremos? Antes que nada, invertimos el dinero del Señor para evangelizar el mundo. ¿Recuerda la historia del hijo pródigo? Un padre dio la herencia a su hijo quien rápidamente la gastó. Con el tiempo, este joven regresó arrepentido a su padre, esto le costó a su padre la mitad de su fortuna. Aquí vemos cómo el padre perdió gustosamente el dinero a cambio de la salvación de su hijo. La Biblia nos dice en Marcos 8:36-37 que no podemos ponerle una etiqueta con precio a nuestra alma. *¿De qué sirve ganar el mundo entero si se pierde la vida? ¿O qué se puede dar a cambio de la vida?*

En nuestra iglesia alentamos a los cristianos para que apoyen a un misionero que esté trabajando en alguna parte del mundo. ¿Por qué? Según la Biblia, donde pongamos nuestro dinero ahí estará nuestro corazón (Mateo 6:21). Y puesto que Dios ama al mundo, nuestro apoyo misionero mantiene nuestros corazones en el mismo lugar que lo mantiene Dios —evangelizar el mundo. El dinero que damos para apoyar a un misionero no se toma de nuestro diezmo. Se toma del 90% restante porque es una ofrenda. Cualquier cosa que se de por encima del 10% es una ofrenda, al invertir estas en alguien como un misionero, estamos haciéndolo en evangelizar el mundo.

Una manera práctica de invertir nuestras riquezas es invertir en la bolsa de valores o en los fondos mutuos. Al igual que el hombre en la Parábola de los Talentos que invirtió sabiamente, recibiremos la mayor ganancia. Esta inversión puede ayudar a expandir el reino de Dios.

Reflexión

¿Cómo puede ganar al mundo entero a costa de su alma (Marcos 8:36)? ¿De qué maneras está usted invirtiendo sus riquezas en el reino de Dios?

Día 4

El dinero y las relaciones

Podemos usar el dinero del Señor para honrarlo y edificar su reino. Jesús contó la historia de un administrador que estaba a punto de ser despedido. Su jefe le dijo: «Rinde cuentas de tu administración porque ya no puedes seguir en tu puesto». Entonces el administrador buscó a un hombre que le debía a su jefe ochocientos barriles de aceite y le dijo: «Págame sólo cuatrocientos barriles». Encontró a otro que debía mil bolsas de trigo y dijo: «Rompe la cuenta original y sólo págame ochocientas bolsas». El jefe de la compañía regresó y vio lo que el administrador había hecho. En vez de molestarse aceptó lo que la Biblia dice en Lucas 16:8-9: *«Pues bien, el patrón elogió al administrador de las riquezas mundanas por haber actuado con astucia. Es que los de este mundo, en su trato con los que son como ellos, son más astutos que los que han recibido la luz. Por eso les digo que se valgan de las riquezas mundanas para ganar amigos para que cuando éstas se acaben, haya quienes los reciban a ustedes en las viviendas eternas.»*

El patrón elogió al administrador porque actuó en una forma *muy astuta*, aunque usó los recursos de su amo. Sabía que iba estar sin trabajo y necesitaba *las relaciones* con otras personas. Aunque este administrador era deshonesto y el Señor Jesús nunca tolera la falta de honestidad, hay una verdad que podemos aprender de esta historia: Jesús dice que la gente del mundo es más sagaz que los hijos de Dios. Dicho de otro modo, muchos incrédulos han aprendido a usar los recursos para desarrollar relaciones mientras que en la iglesia a menudo no entendemos este principio.

En consecuencia, podemos usar nuestros recursos para desarrollar relaciones cristianas. Por ejemplo, podemos llevar a una persona a comer al restaurante y estará desarrollando una relación que dure por la eternidad. Un joven me dijo una vez que cuando era pequeño conoció a un hombre cristiano, ya entrado en años que le compró un helado. Ese cono de helado sirvió para entablar una relación inicial que más tarde lo llevó a Dios. ¿Sabe por qué? El hombre estaba usando su dinero para *desarrollar relaciones*.

Hornear un pastel para su vecino le ayudará a desarrollar una buena relación. Al invitar a alguien a su casa por cuestiones de hospitalidad o para ofrecerle una comida estará usando el dinero que el Señor le ha encomendado para desarrollar buenas relaciones que duraran por la eternidad. La Biblia dice en Mateo 5:16 *«Hagan brillar su luz delante de todos, para que ellos puedan ver las buenas obras de ustedes y alaben al padre que está en el cielo.»*

Nuestras acciones hablan más fuerte que nuestras palabras. La manera como usamos nuestro dinero puede hacer que la gente del mundo que nos rodea se enamore de Jesucristo y vivan eternamente con Él. Recuerde Jesucristo vive en nosotros (Gálatas 2:20). A menudo la gente aprende a confiar en Jesús a medida que van aprendiendo a confiar en nosotros.

Reflexión

Describa algunas veces en las que ha usado su dinero para desarrollar una relación. Repita en voz alta Mat. 5:16 y cambie la palabra «su» por «mí». Haga suya esta oración.

Día 5

Ayudar a los pobres es dar en el Banco de Dios

En el Nuevo y en el Antiguo Testamento, el Señor nos manda prestar ayuda a los que son pobres. Santiago 1:27 dice: *«La religión pura y sin mancha delante de Dios nuestro Padre es ésta: atender a los huérfanos y a las viudas en sus aflicciones, y conservarse limpio de la corrupción del mundo.»*

Deuteronomio 15:7-8 nos dice: *«Cuando en alguna de las ciudades de la tierra que el Señor tu Dios te da veas a un hermano hebreo pobre, no endurezcas tu corazón ni le cierres tu mano. Antes bien, tiéndele la mano y préstale generosamente lo que necesite.»*

El Señor Jesús dijo: *«Porque tuve hambre, y ustedes me dieron de comer; tuve sed, y ustedes me dieron de beber; fui forastero, y me dieron alojamiento; necesité ropa, y me vistieron; estuve enfermo, y me atendieron; estuve en la cárcel, y me visitaron.»* (Mateo 25:35-36). Y luego dijo, unos cuantos versículos después: *«...todo lo que hicieron por uno de mis hermanos, aun por el más pequeño, lo hicieron por mí.»* Dicho de otro modo, cuando ayudamos a alguien que esta lastimado porque amamos a Jesús, lo hacemos como si fuera Él mismo.

Me imagino que estamos parados delante de Dios y él nos dirá: «¿Recuerdas la vez que me invitaste a tu casa?» o, «¿Recuerdas la vez que me ayudaste en las dificultades financieras?» Si el Señor nos ha bendecido en el área financiera es para bendecir a los que nos rodean. «*A Jehová presta el que da al pobre, y el bien que ha hecho, se lo volverá a pagar.*» (Proverbios 19:17 RV).

Según la Biblia, cuando ayudamos a alguien que es pobre estamos colocando el dinero en el Banco de Dios —el banco más grande del mundo. Si Dios le dice que le dé a alguien cierta cantidad de dinero, esté seguro de que él le devolverá cuanto invierta dinero en su banco al darle a los que son pobres.

Reflexión

Enumere algunas de las responsabilidades para con los pobres.

Día 6

Dé con libertad y de buena gana para satisfacer las necesidades del reino

El Señor quiere bendecirnos para que podamos satisfacer las necesidades del cuerpo de Cristo. 2 Corintios 8:14 nos dice: «*En las circunstancias actuales la abundancia de ustedes suplirá lo que ellos necesitan, para que a su vez la abundancia de ellos supla lo que ustedes necesitan. Así habrá igualdad.*»

Dicho de otro modo, cuando una persona tiene en abundancia debe satisfacer la carencia de otra persona. Esta afirmación me hace recordar *la balanza*. Si mi lado es demasiado pesado, debo sacar una parte y colocarla al otro lado de la balanza. Si usted tiene alguna cosa extra, désela a otro para que pueda ser bendecido en su abundancia. Si ellos tienen recursos extras y usted atraviesa por una escasez, ellos pueden ayudarle también. Hay suficientes recursos en el cuerpo de Cristo para satisfacer cualquier necesidad. No estoy hablando de ningún tipo de comunismo. El comunismo coacciona a la gente y la fuerza a la «igualdad» social. A la gente nunca se le debe forzar a dar. El Espíritu Santo da al pueblo del Señor un inmenso deseo de servir a los que tienen necesidad, tanto en nuestras pequeñas comunidades como en el campo misionero.

Cuando damos, el Señor quiere que tengamos las actitudes y motivaciones correctas. En la segunda Carta a los Corintios 9:7 el apóstol Pablo nos muestra unas cuantas actitudes bíblicas que debemos considerar: «*Cada uno debe dar según lo que haya decidido en su corazón, no de mala gana ni por obligación, porque Dios ama al que da con alegría.*» Antes que nada, demos con alegría. Conozco una iglesia en el estado de Texas, EE.UU., donde la gente aplaude cada vez que hay ofrendas.

Dios nos ha llamado a dar con libertad y de buena gana. Mateo 10:8b dice: «*...Lo que ustedes recibieron gratis, denlo gratuitamente.*» Tampoco podemos dar a regañadientes. Tenemos que dar porque deseamos hacerlo.

Quizás usted me pregunte: «¿Cuánto debo dar?» Cuando vamos a una reunión de creyentes en nuestra iglesia y recogemos una ofrenda especial, el Señor nos da un sentimiento especial sobre la cantidad que debemos dar. Cuanto más crezcamos en el Señor, más creceremos en la fe. De nuevo le digo: no demos a regañadientes sino porque es un gozo devolverle a Dios lo que es suyo.

Reflexión

¿Cuál es la diferencia entre la igualdad de Dios y la manera de igualdad del comunismo? ¿De qué manera dar, es un gozo para usted?

Día 7

Así como usted dé, así se le dará

Uno de mis amigos, (un cristiano nuevo) estaba sirviendo en las fuerzas armadas. Un día otro amigo le pidió dinero prestado y nunca se lo devolvió. Mi amigo no pudo perdonarlo hasta cuando leyó esta porción de las Escrituras en Lucas 6:33-35: «*¿Y qué mérito tienen ustedes al hacer bien a quienes les hacen bien? Aun los pecadores actúan así. ¿Y qué mérito tienen ustedes al dar prestado a quienes pueden corresponderles? Aun los pecadores se prestan entre sí, esperando recibir el mismo trato. Ustedes, por el contrario, amen a sus enemigos, háganles bien y denles prestado sin esperar nada a cambio. Así tendrán una gran recompensa y serán hijos del Altísimo, porque él es bondadoso con los ingratos y malvados.*»

Cuando damos dinero a otros debemos dárselo en fe. Ya sea que nos lo devuelva o no, debemos esforzarnos por conservar nuestras actitudes puras y continuar amando a nuestros «enemigos».

Dios nos ha llamado a dar «en fe.» Lucas 6:38 dice: «*Den, y se les dará: se les echará en el regazo una medida llena, apretada, sacudida y desbordante. Porque con la medida que midan a otros, se les medirá a ustedes.*» Cuando damos, Dios quiere bendecirnos devolviéndonos la medida que dimos a otros. Él es el único responsable de bendecirnos. Nuestra motivación para dar debe ser siempre amor y obediencia a Dios. Muchos no reciben las bendiciones financieras de Dios porque no han experimentado su fe y no esperan recibir la abundancia que nos quiere dar.

Dios también nos llama a dar con libertad. En la Segunda Carta a los Corintios 9:6 dice: «*Recuerden esto: El que siembra escasamente, escasamente cosechará, y el que siembra en abundancia, en abundancia cosechará.*»

Demos a otros de la misma manera como Jesús ha sido fiel en darnos. Sin embargo, es importante verificar a quién le damos. Un amigo pastor me dijo que su iglesia había dado miles de dólares a un hombre, al averiguar cómo gastaba el dinero, comprobaron que lo malversaba para su uso personal, y como consecuencia dejaron de ayudarle. Debemos asegurarnos de estar ayudando a verdaderos ministros intachables. A menudo es bueno dar a aquellos que conocemos porque vemos los frutos espirituales genuinos en sus vidas.

Y finalmente, el deseo del Señor es que prosperemos. En la Segunda Carta a los Corintios 8:9 dice: «*Ya conocen la gracia de nuestro Señor Jesucristo, que aunque era rico, por causa de ustedes se hizo pobre, para que mediante su pobreza ustedes llegaran a ser ricos.*»

El Señor Jesucristo llevó la maldición de la pobreza por nosotros. Pero recuerde, quiere bendecirnos en las relaciones espirituales, físicas, mentales y financieras Quizás optemos por confiar en nuestras riquezas financieras en vez de confiar en el Señor. Él desea bendecirnos para que podamos bendecir a los que nos rodean. Que Dios lo bendiga a medida que va cumpliendo con su responsabilidad como buen administrador (mayordomo) de los recursos que Dios le ha encomendado.

Reflexión

Según 2 Corintios 9:6, ¿cómo debemos dar?

Fundamentos Bíblicos 11

Llamados a ministrar

CAPÍTULO 1

Todo el mundo puede ministrar

Versículo clave para memorizar

«Él nos ha capacitado para ser servidores de un nuevo pacto...»
2 Corintios 3:6

Día 1

Somos capacitados para ministrar

Hace poco tiempo, un fanático del fútbol me contó la experiencia que había tenido durante una Copa Mundial. Pagó $ US 150 por un asiento y se unió a miles de fanáticos que miraban a 22 talentosos jugadores patear una pelota. Aunque le encantaba el fútbol, no se permitió jugar —era un simple «espectador.» Su historia me hizo recordar algo que sucede en la iglesia de hoy. Piénselo. Cada domingo, un grupo de cristianos «espectadores» se reúnen para mirar unas ceremonias en la iglesia. ¿Es eso lo que el Dios quiere para su iglesia? No lo creo. Todo creyente debe ser *un ministro.*

Los pastores o los líderes de la iglesia han sido puestos por Dios para capacitarnos y ministrarnos. La Biblia nos dice en Efesios 4:11-12 que el Señor promueve líderes espirituales con dones específicos con dos propósitos básicos: *«Él mismo constituyó a unos, apóstoles; a otros, profetas; a otros, evangelistas; a otros pastores y maestros, a fin de perfeccionar a los santos para la obra del ministerio, para la edificación del cuerpo de Cristo.»*

Según esta porción de la Escritura, Dios ha dado diversos dones a los líderes espirituales para «equipar a los santos en la obra ministerial» y para «edificar el cuerpo de Cristo». Cuando esos líderes capacitan a los fieles para que ministren, la iglesia crece de acuerdo a los propósitos de Dios. Si los creyentes no aprenden a servir a los demás, la iglesia de Dios se paraliza, solo se estaría usando una parte del cuerpo.

Sí la mayoría de las partes del cuerpo se paraliza, se sufre de una «parálisis parcial.» Actualmente vemos muchas iglesias que sufren este tipo de parálisis, porque se fiscaliza una gran verdad: *todos los santos hacen y participan en la obra ministerial.* Dios esta restaurando esta verdad básica para su iglesia que implica la dinámica de que todo creyente es llamado a ministrar.

El liderazgo de la iglesia primitiva conformado por los apóstoles, los profetas, los evangelistas, los pastores y los maestros, comprendió el enfoque que necesitaban de estar en oración y ministrar la Palabra de Dios para dirigir la iglesia *«... nosotros nos dedicaremos de lleno a la oración y al ministerio de la palabra.»* (Hechos 6:4).

Antes de «dedicarse de lleno a la oración y al ministerio de la palabra», los líderes tenían que capacitar a otros creyentes para aliviar la carga. Cuando obedecieron este principio espiritual, miles de personas vinieron al reino de Dios y la iglesia creció rápidamente durante el primer siglo.

Reflexión

¿Cuál es el papel que desempeñan los líderes espirituales en la iglesia, según Efesios 4:11-12? ¿De qué manera estos líderes nos capacitan para que ministremos?

Día 2

Todo el mundo puede servir

Puesto que las Sagradas Escrituras nos dicen que *los santos* son llamados a hacer la obra ministerial, de nuevo nos preguntamos quiénes son en realidad *los santos*. La verdad es ésta: Si usted es cristiano y ha nacido de nuevo gracias al Espíritu Santo, usted es un *santo*. No nos volvemos santos cuando llegamos al cielo. Somos santos ahora mismo. Cuando se mire en el espejo por las mañanas le animo a que diga: «Soy santo». La Biblia dice que *los santos son llamados* a hacer el trabajo ministerial (Efesios 4:12).

En la actualidad hay miles de creyentes que no se sienten realizados porque no están cumpliendo el propósito que Dios tenía para ellos—*ministrar a otros*.

Pero, ¿qué significa la palabra *ministrar*? El Diccionario de la Real Academia dice: «ministrar significa servir o ejercer un empleo, oficio o ministerio». Si usted va a un restaurante, la persona que le sirve lo está *ministrando*. Le sirven o atienden a su mesa. Ése es un tipo de ministerio. Si usted va a un hospital, los servidores del hospital están listos para *servir o ministrar* a los pacientes. Las palabras *servir* y *ministrar* pueden usarse indistintamente.

Dios llama a todos los cristianos a *ministrar* a los demás. Es un privilegio ministrar a los demás en el nombre del Señor Jesucristo. Hay muchas maneras de ministrar y muchos tipos diferentes de ministerio; sin embargo, cada persona es llamada a servir en una forma distinta en el nombre de Jesús. La Biblia dice en Marcos 16:17-18 que algunas señales acompañarán a los verdaderos discípulos y confirmarán que el mensaje del evangelio es genuino. «*Estas señales acompañarán a los que crean: en mi nombre expulsarán demonios; hablarán en nuevas lenguas; tomarán en sus manos serpientes; y cuando beban algo venenoso, no les hará daño alguno; pondrán las manos sobre los enfermos, y éstos recobrarán la salud.»*

Esta porción de la Escritura nos habla de los diferentes tipos de ministerio a los que el Señor llama a su pueblo actualmente. No dice que esos signos acompañarán a los pastores o apóstoles o evangelistas. Dice «estas señales acompañarán a los que crean». Dios llama a todo cristiano que en verdad crea, para que ministre a otros y extienda el reino de Dios con poder y autoridad.

Reflexión

¿De qué manera ministra usted a otros? ¿Algunas de las señales de Marcos 16:17-18 están sucediendo en su vida?

Día 3

¿Nos estamos ejercitando espiritualmente?

En la iglesia de hoy tenemos una idea distorsionada de lo que significa *ministrar.* Pero es un hecho que Dios quiere capacitarnos para que tengamos la idea adecuada del ministerio desde su perspectiva.

En el pasado a menudo pensábamos que el pastor de la iglesia era responsable de cumplir con todos los ministerios—el ministerio sólo lo realiza el clérigo, el capacitado o el que recibe sostenimiento. Debido a esta actitud, muchos creyentes son débiles y con razón. Si usted y yo nunca nos ejercitáramos en el servicio eclesiástico nos volveríamos débiles en términos físicos. Si usted y yo nunca hacemos ejercicio, nos volvemos débiles en términos físicos. De la misma manera, si no nos ejercitamos espiritualmente, nos volveremos débiles en términos espirituales. «*En cambio, el alimento sólido es para los adultos, para los que tienen la capacidad de distinguir entre lo bueno y lo malo...*» (Hebreos 5:14).

Nos volveremos espiritualmente maduros cuando practiquemos y experimentemos lo que Dios nos ha mandado hacer. Dios ha llamado a todo santo a ser ministro para Él. A los pocos días de nuestra conversión ya podemos empezar a ministrar a los demás y a decirles lo que Jesucristo ha hecho por nosotros.

Cuando el pastor solo hace todo el ejercicio espiritual, se desgasta física y espiritualmente. Los santos de la Iglesia no se están ejercitando espiritualmente y siguen estando débiles, y como consecuencia toda la iglesia esta débil. ¡Imagínese a un pastor haciendo cuatro mil abdominales cada día! En un sentido espiritual, eso es lo que está sucediendo en muchas iglesias. Creo firmemente que el Señor Dios ha llamado a los pastores y líderes espirituales a capacitar a los santos para que se involucren en el ministerio de su propia iglesia local y que maduren en Cristo. Cuando el pueblo de Dios no se capacita y ejercita llega un momento en que ya no crece. Puesto que Dios nos ha dado diferentes dones y habilidades, es necesario que los usemos para servirles a los demás.

A medida que cada creyente esté cumpliendo con lo que el Señor le ha llamado hacer, algo maravilloso comenzará a suceder. Dios empieza a edificar su iglesia a través de su pueblo, cuando vamos de casa en casa en cada comunidad. El ministerio no sólo se realiza con los fieles de nuestra iglesia sino en las escuelas, en nuestros lugares de trabajo, y en nuestros propios hogares. De esta manera todos se sienten realizados porque están ejercitando los dones que Dios les dio. Éste es el plan de Dios para edificar su iglesia.

Reflexión

¿Cómo ejercitamos nuestros sentidos para discernir lo bueno de lo malo (Hebreos 5:14)? ¿Qué sucede en una iglesia en la que el pastor realiza todo el ministerio?

Día 4

Cómo ministrar

Hay varias maneras de ministrar. Por ejemplo, lavar el carro de alguien o llevarlos a pasear en auto es un tipo de ministerio muy apreciado. Otros quizás tengan habilidades para hornear un pastel o una torta y llevársela a una familia como «muestra de amor». Alentar a los demás cuando se hallan tristes, orar por los enfermos, y servir a los niños en un ministerio infantil o escuela dominical, son formas distintas de nuestro ministerio. Muchas veces la gente piensa que *ministrar* significa *enseñar o predicar*. Pero esa solo una de los cientos de maneras de ministrar en el nombre de Jesús.

Cuando el Señor Jesús anduvo en la tierra sólo podía estar en un lugar a la vez. La estrategia de Dios Padre fue que Jesús muriera en la cruz, resucitara y ascendiera al cielo para luego enviar al Espíritu Santo. Entonces el Espíritu Santo moraría en el pueblo de Dios.

Ahora en vez de que Jesús solo sea el que ande en la tierra y ofrezca esperanza a las personas, habrá miles de creyentes llenos del mismo Espíritu Santo para ministrar en el nombre de Jesús alrededor del mundo.

Hemos recibido el Espíritu Santo y Dios nos llama a ser sus ministros. A todos los lugares donde Jesús fue ministró a las personas. De la misma manera, a todas partes a donde vayamos, Dios nos ha llamado a ministrar: en nuestras casas, comunidades, escuelas y trabajos, y sólo lo podemos hacer en sus fuerzas. *«No es que nos consideremos competentes en nosotros mismos: Nuestra capacidad viene de Dios. Él nos ha capacitado para ser servidores de un nuevo pacto, no el de la letra sino el del Espíritu; porque la letra mata, pero el Espíritu da vida.»* (2 Corintios 3:5-6).

Nunca olvidaré la primera vez que enseñé un estudio bíblico cuando era joven. Estaba muy asustado, porque eso era nuevo para mí. Entonces entendí que las fuerzas del Señor me estaban sosteniendo para salir del apuro y comprendí que mi capacidad venía de Dios.

Hace muchos años, servía como líder en la adoración. La primera vez que lo hice fue en una reunión de la iglesia en donde no había los instrumentos musicales. Me dieron una flauta pequeña para sacar el tono de la canción y la soplé tan fuerte que me sentí avergonzado. Quería que me tragara la tierra especialmente cuando note que algunos se estaban riendo nerviosamente a costa de mí. Fue una experiencia humillante, pero poco a poco y por la gracia de Dios, ejecute esa primera canción. Seguí practicando y así supe que el Señor me llamaba a ministrar de esa manera y empecé a disfrutar al guiar a otros en la adoración a nuestro Señor.

Reflexión

Mencione varias maneras como usted puede ayudar a los demás. ¿De dónde vienen sus fuerzas y habilidad según 2 Corintios 3:5-6?

Día 5

Movámonos de nuestra *zona de comodidad*

Cada uno de nosotros tenemos un área en la cual nos sentimos más cómodos para actuar. Esta es nuestra «zona de comodidad». A menudo nos resulta difícil salir de nuestra zona de comodidad para intentar nuevas cosas, pero debemos saber que Dios nos llama a dar pasos de fe. ¡Cuando el apóstol Pedro caminó sobre el agua se movió más allá de su zona de comodidad!

Dios nos ha llamado a ser gente de fe y depender de la habilidad de Dios que está dentro de nosotros y es la que nos ayuda a realizar su obra. La Biblia dice: «*...sin fe es imposible agradar a Dios...*» (Hebreos 11:6). Ministrar a otros a menudo nos demanda a salir más allá de nuestra zona de comodidad. En ese orden de ideas, nuestros hogares son excelentes lugares para ministrar. Jesús pasó mucho tiempo en los hogares de las personas. El libro de Hechos está lleno de ejemplos de personas que se reunían en casas, tenían comunión unos con otros, aprendían juntos y se ministraban unos a otros. Usted también puede invitar gente a su casa para una comida o pasar un tiempo de grato esparcimiento. Pueden suceder algunas cosas muy emocionantes cuando las personas se sientan juntas a comer, a jugar, o sólo a hablar y reírse. Las personas pueden relajarse cuando nos reunimos con ellos a su mismo nivel, y les contamos que también tenemos problemas reales, como cualquier persona. Debemos pedirle al Señor que nos dé una oportunidad para orar con ellos, y esto puede ser una experiencia que les cambie la vida. Tenga presente que usted es un santo que esta llamado a ministrar.

Quizás el Señor desee usarlo para que dé un consejo piadoso a alguien. Quizás usted sienta que, puesto que no es consejero profesional, Dios no puede usarlo de esta manera, pero la Biblia dice en Isaías 9:6.«*...se le darán estos nombres... Consejero Admirable.*» Jesús es el consejero, vive dentro de nosotros. Sin embargo, cuando la gente necesita soluciones a sus graves problemas, y no conoce las respuestas, el Señor Jesús las tiene. Oro y pido al Señor que les hable y les diga lo que tienen que hacer. A veces les presento a otros cristianos que quizás puedan responder sus preguntas.

Recuerde: ¡el Señor le ha dado a usted un testimonio poderoso! Cuando cuente su testimonio notará que el Espíritu Santo lo usa para hablar la verdad y otros serán edificados en fe. Quizás tenga temor de que alguien le haga una pregunta que no pueda responder. Si usted no está seguro de tener la respuesta correcta, lo adecuado es decir «No sé pero conozco a alguien que sabe.» Ninguno de nosotros tiene todas las respuestas. Esa es la razón por la que Dios puso diferentes dones en distintas personas en su iglesia. Nos necesitamos los unos a los otros.

Reflexión

Describa algunas situaciones en las que se ha movido de su «zona de comodidad».

Día 6

No es nuestra habilidad, sino la de Él

El Señor quiere que estemos a su disposición para ministrar a otros en maneras diferentes. Cuando empezamos a trabajar por «células» en nuestra iglesia, yo acepté el ministerio de predicar un domingo y enseñar a los niños el domingo siguiente. Esto me ayudó a prepararme para otro ministerio al que el Señor me llamaría en años futuros. De esa manera, Dios me estaba capacitando.

Sin importar el ministerio al que el Señor lo haya llamado, no ministre confiado en su habilidad sino de acuerdo a la habilidad que esta dentro de usted. Si sirve en una guardería, puede orar, imponer manos en los niños y ministrarles en el nombre de Jesús. Dios nos ha llamado a cada uno de nosotros a ministrar dondequiera que vayamos. Pidamos al Señor que abra nuestros ojos de modo que podamos ver a las personas como Él las ve. Juan 3:16 nos dice: «*Porque tanto amó Dios al mundo que dio a su hijo Unigénito para que todo el que cree en él no se pierda, sino que tenga vida eterna*». Dios ama a todas las personas y Él vive en nosotros y nos ha llamado a servir y alentar al prójimo.

Este servicio se realiza en la vida diaria de una manera práctica. Quizás usted deba ayudar a su vecino a cambiar el neumático de su auto en medio de la lluvia. ¡Dios va a reparar el auto a través de usted! El servicio nos demanda hacer lo que el Señor nos indique, en lugar de hacer lo que sentimos que debemos hacer, Si hemos sido crucificados juntamente con Cristo, La Biblia nos dice que estamos muertos para hacer lo que queramos. *«He sido crucificado con Cristo, y ya no vivo yo sino que Cristo vive en mí. Lo que ahora vivo en el cuerpo, lo vivo por la fe en el Hijo de Dios, quien me amó y dio su vida por mí.»* (Gálatas 2:20).

Su «antigua persona ahora esta muerta». El Señor Jesucristo vive ahora dentro de usted y lo ha llamado a ser ministro de Él..

Reflexión

¿Qué sucedió cuando usted fue «crucificado con Cristo»? ¿Qué cosas murieron y qué cosas se hicieron nuevas? ¿De qué manera práctica puede ministrar a su vecino?

El amor conquista todo

Estaba hablando en una ocasión con un consejero profesional que tenía muchos años de capacitación sicológica y me dijo: «Algunas personas piensan que para ayudar a otros necesitan todo tipo de capacitación, pero lo que la gente necesita es alguien que los ame». Este consejero no estaba minimizando la necesidad de capacitación, estaba hablando de la necesidad de satisfacer la necesidad mas profunda que está en los corazones de hombres y mujeres hoy en día —la necesidad de ser amado.

De esto trata en realidad el ministerio cristiano. Jesús nos ha llamado a amar a la gente. Amamos a la gente al escucharlos e interesarnos genuinamente por ellos. No debemos sentirnos temerosos o inadecuados para ministrar a otros. La Biblia dice «*...el amor perfecto echa fuera el temor...*» (1 Juan 4:18).

Cuando me doy cuenta de que Dios me ama y que Él ama a la persona que estoy ministrando, su perfecto amor echará fuera el temor. Cuánto más tiempo pasamos con Jesús, podrá ministrar más a través de nosotros. Los que nos rodean percibirán que tenemos habilidad de ministrarlos, porque su amor y osadía serán evidentes en nuestras vidas, como lo fue en las vidas de Pedro y Juan. «*Los gobernantes, al ver la osadía con que hablaban Pedro y Juan, y al darse cuenta de que eran gente sin estudios ni preparación, quedaron asombrados y reconocieron que habían estado con Jesús.*» (Hechos 4:13).

Cuando nos sentimos débiles es cuando en verdad podemos ser fuertes porque sabemos que la gracia de Dios es «suficiente» para nosotros. Pablo le suplicó al Señor que le quitara el «aguijón de la carne». Pero el Señor le dijo que su poder se perfeccionaría en la debilidad, según 2 Corintios 12:9-10. «*pero él dijo: «Te basta con mi gracias, pues mi poder se perfecciona en la debilidad.» Por lo tanto, gustosamente haré más bien alarde de mis debilidades, para que permanezca sobre mí el poder de Cristo. Por eso me regocijo en debilidades, insultos privaciones, persecuciones y dificultades que sufro por Cristo; porque cuando soy débil, entonces soy fuerte.*»

La gracia de Dios es suficiente para vivir nuestras vidas cotidianas. Cuando nos acercamos a Cristo, Él nos ayudará en cada circunstancia, al darnos fuerza y consuelo. Podremos ministrar a otros por fe, gracias a las fuerzas de Jesucristo.

Reflexión

¿Qué hace el perfecto amor (1 Juan 4:18)? ¿En qué forma opera la gracia de Dios en nuestra vida?

CAPÍTULO 2

Somos llamados a servir

Versículo clave para memorizar

«...el que quiera hacerse grande entre ustedes deberá ser su servidor, y el que quiera ser el primero deberá ser esclavo de los demás; así como el Hijo del hombre no vino para que le sirvan, sino para servir, y para dar su vida en rescate por muchos.»
Mateo 20:26-28

Día 1

¿Qué debe usted hacer, si quiere ser grande entre los demás?

Un día la madre de Jacobo y Juan vino a Jesús para hacerle un pedido especial. *«... la madre de Jacobo y de Juan, junto con ellos, se acercó a Jesús y, arrodillándose, le pidió un favor. —¿Qué quieres? —le preguntó Jesús. —Ordena que en tu reino uno de estos dos hijos míos se siente a tu derecha y el otro a tu izquierda.»* (Mateo 20:20-21).

La Biblia nos dice que los otros discípulos estaban indignados. No podían creer que Jacobo y Juan tuvieran el descaro de esperar sentarse a la izquierda y a la derecha de Jesús en el reino celestial, aunque todavía estaban pensando que Jesús iba a establecer un reino aquí en la tierra. Los discípulos tenían una comprensión completamente equivocada del ministerio y del liderazgo. Entonces Jesús trato de corregir este pensamiento equivocado cuando Él habló a sus discípulos «...*—Como ustedes saben, los gobernantes de las naciones oprimen a los súbditos, y los altos oficiales abusan de su autoridad. Pero entre ustedes no debe ser así. Al contrario, el que quiera hacerse grande entre ustedes deberá ser su servidor, y el que quiera ser el primero deberá ser esclavo de los demás; así como el Hijo del hombre no vino para que le sirvan, sino para servir y para dar su vida en rescate por muchos.»* (Mateo 20:25-28).

Jesús dijo a sus discípulos: que los que están bajo el sistema del mundo no entienden en qué consiste el ministerio y el carácter del siervo. Alguien que es líder en el mundo, frecuentemente ejerce su poder y control sobre la gente. Pero el Señor Jesús defendió una nueva manera. Dijo que el liderazgo verdadero ejemplifica el carácter de servicio. El carácter de siervo es como el de Dios. Jesucristo, el rey del universo, vino a esta tierra a ser siervo y en cada oportunidad sirvió a la gente con todo su amor. También nosotros somos llamados a ser ministros (siervos) para otros —ésta es una verdadera medida de «ser grande».

Reflexión

¿Qué debe hacer usted si quiere ser grande, según Mateo 20:26?
¿Qué dijo Jesús que Él vino a hacer en la tierra en Mateo 20:28?

Servicio y ministerio, los dos son lo mismo

Entonces, ¿qué significa *servir?* Como mencionamos antes, las palabras *servicio* y *ministerio* son sinónimas. Jacobo y Juan querían ser «grandes» en el reino de Dios. Pensaban que la grandeza de una persona consistía en tener un buen puesto, pero Jesús explicó que la grandeza procedía de servir. La grandeza no depende de nuestros talentos o nuestras habilidades sino de nuestra disposición de servir al prójimo.

Un siervo es simplemente una persona que se dedica a servir a otros. Me encanta observar a la gente cuando viajo por todo el mundo, he encontrado una verdad asombrosa. Cada vez que encuentro un «hombre o una mujer *verdaderamente grande*» noto que tienen un corazón de siervo. Hace años, cuando yo era un joven pastor, estaba en una reunión en Dayton, Ohio, me puse a observar a un hombre anciano, un líder en el cuerpo de Cristo que actualmente se ha ido para estar con el Señor. A todo lugar donde él iba, buscaba la oportunidad de servir a otros. Lo observé cuando le hablaba al botones del hotel acerca de Jesucristo. Observé la manera cómo respondía de una manera gentil y compasiva a los que le hacían preguntas sobre asuntos espirituales. En verdad era un «siervo de Dios.»

La señal de *grandeza en el reino de Dios* depende de nuestra disposición y obediencia para servir a los demás. Un día el Señor Jesús contó una parábola a un grupo de huéspedes que fueron invitados a la casa de un gobernante que pertenecía a la secta de los fariseos. «*—Cuando alguien te invite a una fiesta de bodas, no te sientes en el lugar de honor, no sea que haya algún invitado más distinguido que tú. Si es así, el que los invitó a los dos vendrá y te dirá: «Cédele tu asiento a este hombre.» Entonces, avergonzado, tendrás que ocupar el último asiento. Más bien, cuando te inviten, siéntate en el último lugar, para que cuando venga el que te invitó, te diga:«Amigo, pasa más adelante a un lugar mejor.» Así recibirás honor en presencia de todos los demás invitados. Todo el que así mismo se enaltece será humillado, y el que se humilla será enaltecido.»* (Lucas14:8-11).

El Señor nos advierte que no debemos exaltarnos a nosotros mismos ni tratar de ocupar los primeros lugares. Más bien debemos aparecer en el segundo plano. El evangelista D. L. Moody, el gran evangelista del último siglo a quien Dios usó para ver más de un millón de almas entrar al reino de Dios, siempre prefería sentarse en un segundo plano. En realidad era un siervo de Dios. Si honramos al Señor con humildad y carácter de siervos, un día seremos exaltados.

Reflexión

¿De qué manera exalta el Señor a sus siervos? Describa las maneras en que usted ha servido en un segundo plano. ¿Cómo se sintió?

Día 3

Cuando servimos en amor

Uno de mis amigos sirve como líder cristiano en mi nación. Hace unos años cuando era joven, se mudó a una ciudad importante. Todos dicen que mi amigo tiene una personalidad carismática y es un estudioso de la Biblia, además le encanta enseñar a otros. Pero en realidad, todo comenzó una noche cuando asistió a un estudio bíblico y se ofreció a enseñar la Palabra. El líder del grupo le dijo que apreciaba mucho su ayuda, pero lo que en realidad necesitaba era alguien que arreglara las sillas. Así que, una semana tras otra, mi amigo estuvo acomodando las sillas para la reunión de estudio bíblico. En verdad mi amigo estaba dispuesto a ser siervo, y en la actualidad es un líder notable en el Cuerpo de Cristo y enseña hoy la Biblia en todo el mundo.

Las Escrituras nos dicen en 1 Corintios 8:1 «*...El conocimiento envanece, mientras que el amor edifica.*» Demasiado conocimiento nos puede hacer arrogantes, pero el amor siempre edifica a los demás. He conocido algunas personas que pensaban que estar involucrados en el ministerio significaba estar llamadas a predicar en vez de servir al pueblo de Dios. La predicación y la enseñanza son ministerios validos que son muy necesarios en la iglesia. Sin embargo, todos los ministerios deben proceder de un corazón amoroso y compasivo. Los predicadores y profesores a los que Dios llama tienen un deseo de servir a los que enseñan. Sólo el amor puede edificar a las personas. Demasiado conocimiento (incluso el conocimiento de la Biblia) sin un corazón amoroso y compasivo, puede hacer que nos inflemos de orgullo.

Muchas veces el pueblo de Dios tiene que ministrar de una manera servil y práctica antes que el Señor nos lance al ministerio de la predicación y la enseñanza. Los que están dispuestos a servir humildemente a menudo están siendo preparados para ministrar en una manera más grande porque han desarrollado un corazón de siervo. Sin importar cuánta capacitación o conocimiento tenga una persona, el Señor busca a los que están dispuestos a servirle humildemente. Si estamos deseosos de servir, Dios va a engrandecernos. Si no estamos dispuestos a servir, no podremos ser grandes en el reino de Dios.

Reflexión

¿Qué edifica a la gente en el Señor, según 1 Corintios 8:1? ¿De qué manera ha desarrollado usted un corazón de siervo?

Día 4

¿Cómo puedo servirle a usted?

¿Por qué Jesús no nos llevo al cielo cuando nacimos de nuevo? Creo que la respuesta es sencilla: para que podamos servirle aquí en la tierra y ayudar a muchas personas a entrar en su reino a través de una relación con Jesucristo. Por consiguiente: *Todo creyente está llamado a servir.* Se nos llama a servir a nuestras familias, a las personas que trabajan en nuestro lugar de empleo, a la gente con la que estamos comprometidos en grupos pequeños o a otros creyentes en nuestra iglesia. La pregunta que debemos hacernos a nosotros mismos adondequiera que vamos es: «¿Cómo puedo servir hoy?»

Quizás podamos participar en un ministerio de teatro, haciendo de payaso cuando se ministra a los niños. Quizás sea llamado a ministrar a los presos. Quizás algunos sirvan recogiendo la basura en su vecindario. Quizás usted podría visitar a los ancianos y orar por ellos o servir comidas a los que están pasando por un tiempo difícil. Proporcionar movilidad o trasporte a alguien que está en necesidad puede ser un tremendo acto de servicio.

Usted es un verdadero ministro cuando sirve a otros. El Señor Jesús nunca dijo: «Soy el rey, vengan a servirme». Él simplemente sirvió. Santiago 4:10 dice: *«Humíllense delante del Señor, y él los exaltará.»* Algún tiempo atrás, un pastor que había servido al Señor fielmente durante muchos años se hizo miembro de nuestra iglesia. Una de las primeras preguntas que hizo fue: «¿Cómo puedo servirles?» Él no dijo: «¿Cuándo puedo predicar un sermón?» Entendió la importancia del verdadero ministerio cuando sirvió en el Cuerpo de Cristo. Las personas con actitud de siervo son las que el Señor usará para edificar su iglesia de una manera poderosa.

He notado que me siento atraído hacia otros que están dispuestos a servir. Cuando Jesús andaba sirviendo a otros, muchas personas eran atraídas a él. Si tenemos corazón de siervos, el Señor hará que la gente sea atraída a nosotros para poder orar y ministrarlos. Cuando dejamos de pensar en nosotros mismos primero, para servir a los demás, las personas serán atraídas al reino de Dios. Generalmente la gente no llega a Jesús porque tenemos mucho conocimiento bíblico (aunque es importante) sino porque ven el corazón de un siervo que se ejemplifica a través de nuestras vidas.

Reflexión

Enumere algunas maneras específicas en que usted ha servido a otros. ¿Cómo puede seguir siendo humilde si usted se reconoce como un experto o autoridad en una materia?

Día 5

Cuando se llega a otros a través del servicio

Según la Biblia, la gente que nos rodea glorificará a Dios debido a la manera en que ve que servimos. Jesús dijo: «*Hagan brillar su luz delante de todos, para que ellos puedan ver las buenas obras de ustedes y alaben al Padre que está en el cielo.*» (Mateo 5:16).

Una familia que conocí en un invierno se comprometió en cierta ocasión a mantener limpias las veredas de sus vecinos ancianos durante el invierno. De buena gana cavaban con pala, ¡aunque había enormes cantidades de nieve! De esta manera usó Dios a mis amigos para manifestarse a sus vecinos.

Serví como pastor durante muchos años en una iglesia. Debido a que mucha gente asistía no podía reconocer a todos lo que venían a los servicios dominicales. Pero, ¿sabe usted a quienes podía reconocer fácilmente? A los que estacionaban los autos en el estacionamiento de la iglesia, a los que saludaban a los feligreses en la puerta, a los que ubicaban a los fieles en los asientos, a los que coordinaban una reunión en grupos pequeños y a los que enseñaban a los niños. Todos los asistentes experimentaban a Jesús en estos preciosos santos, quienes les estaban ministrando a ellos y sus hijos. Gracias a esto eran atraídos al reino de Dios.

Como podemos ver, el obrar de Jesús a través de nosotros, hace la gran diferencia en el mundo. Cuando las personas de nuestra iglesia, fueron con el amor de Jesucristo a los que les rodean, cientos de personas preciosas se hicieron parte de la familia Celestial y se comprometieron con nuestra iglesia. Jesús usa a muchos ministerios, a través del servicio práctico para ministrar a los que se involucran en su Reino. Dondequiera que voy encuentro personas que tienen corazones de siervo. En una ocasión, mientras trabajaba en África, fui bendecido por un hombre de negocios que constantemente buscaba oportunidades para servir mejor a Jesús y al pueblo de Dios en su iglesia local. Este hombre era un verdadero ministro.

Aunque el Señor llama a personas específicas para que sean sostenidas por la iglesia, para que puedan equipar a otros en el ministerio, nunca olvidemos que *todos* los santos están llamados a ministrar.

Reflexión

¿Cómo puede usted permitir que otras personas vean al Señor Jesús en su vida y manera de actuar?

Día 6

El ministerio de «ayuda»

El Señor Jesús pasó mucho tiempo instruyendo, alentando y presentando el modelo del reino de Dios a sus 12 discípulos. Estos también sirvieron a Jesús en un ministerio de *ayuda* similar al que vemos en 1 Corintios 12:28 «*...Y a unos puso Dios en la iglesia, primeramente apóstoles, luego profetas, lo tercero maestros, luego los que hacen milagros, después los que sanan, los que ayudan, los que administran, los que tienen don de lenguas.(RV)*»

El ministerio de *ayuda* provee asistencia y apoyo o socorro a otra persona involucrada en el ministerio cristiano. La ayuda consiste en brindar asistencia práctica a alguien para que pueda cumplir con sus responsabilidades para con Dios. Los discípulos ayudaron al Señor Jesucristo a cumplir el ministerio que su padre le había encomendado. Un grupo grande de mujeres también ayudó a Jesús en su ministerio (Lucas 8:1-3). Ellas colaboraron de muchas maneras para que Jesús pudiera predicar, sanar, enseñar y ministrar a los necesitados.

La ayuda se puede prestar de diferentes maneras. Un día el Señor Jesús envió a sus discípulos a conseguir un asno para entrar en Jerusalén (Mateo 21:1-11). En otra ocasión los discípulos le prepararon un aposento para la Última Cena (Mateo 26:17-30). Servían en el ministerio de ayuda.

Cierto día, miles de personas se reunieron para escuchar a Jesús. Se hacía tarde y la gente estaba hambrienta. Cuando Jesús preguntó qué había para comer, descubrieron que sólo había cinco panes y dos peces. Jesús oró, y de manera sobrenatural se multiplicaron los peces y los panes —de hecho, sobraron doce canastas, después de que las personas fueron alimentadas (Mateo 14:13-21). De esta manera los discípulos estuvieron involucrados en el ministerio de ayuda, cuando repartieron la comida a las personas hambrientas. Personalmente creo que había una canasta sobrante de comida para cada discípulo que ayudo a servir.

En otra ocasión Jesús tenía que pagar el impuesto al templo y envió a Pedro a atrapar un pez. Cuando este lo atrapó, encontró una moneda en sus agallas y así pudo pagar el impuesto. (Mateo 17:27). Pedro sirvió en el ministerio de ayuda cuando atrapo el pez y pagó los impuestos.

Constantemente estoy en la búsqueda de líderes espirituales. Dios busca líderes que estén dispuestos a servir en el ministerio de ayuda, mientras él los va preparando, para un liderazgo futuro.

Reflexión

¿Qué es el ministerio de ayuda? ¿Ha servido alguna vez en este tipo de ministerio? ¿Cómo?

Día 7

Cuando uno se capacita para un ministerio futuro

Los discípulos del Señor Jesús aprendieron cómo servir de manera práctica. Si somos fieles en las cosas pequeñas, Dios sabe que nos puede encomendar mayores responsabilidades. «*El que es fiel en lo muy poco, también en lo más es fiel; y el que en lo muy poco es injusto, también en lo más es injusto.*» (Lucas 16:10 RV).

Dios capacitó a Moisés para ser líder (siervo). Antes de sacar al pueblo de Egipto Dios lo colocó en el ministerio de ayuda para servir a su suegro, cuidando las ovejas cuarenta años en el desierto. Luego

Josué sirvió a Moisés en un ministerio de ayuda mientras estaba siendo instruido para guiar a los hijos de Israel. En la actualidad hay muchos hombres y mujeres de Dios que se capacitan a través del servicio práctico (capacitación-en-servicio) antes que el Señor los lleve a un ministerio público. De hecho, Jesús mismo pasó treinta años en el taller de carpintería de su padre— sirviendo en el ministerio de ayuda. Esteban y Felipe fueron evangelistas poderosos, sin embargo estaban involucrados en el servicio a las mesas (Hechos 6:1-7).

En vista de los ejemplos anteriores los animo a que se pregunten: «¿Cómo puedo servir a un líder a quien el Señor ha colocado cerca de mi vida?» Dígale que está dispuesto a ayudarlo a medida que el Señor lo vaya capacitando.

Durante varios años serví en el ministerio de ayuda para evangelizar a la juventud. Jugaba baloncesto con los jóvenes para hablarles de Cristo. Mi responsabilidad inicial en el club de baloncesto era ser el chofer, para traer a los jóvenes a la cancha semana tras semana. Un tiempo después se me pidió hacerme cargo de un grupo pequeño de nuevos creyentes y empezar un estudio bíblico. De esta manera el Señor usó estos actos de servicio para capacitarme, para un ministerio futuro.

Si desea encontrar su ministerio, un lugar para comenzar es servir en el ministerio de ayuda, como se ordena en la Palabra de Dios. Con frecuencia las personas que procuran a la fuerza ser objeto de la atención general, son los que necesitan servir entre bastidores, donde el Señor pueda labrar un corazón de siervos en ellos. Creo que Dios desea exaltarnos, pero nos pide que nos humillemos primero para que él pueda exaltarnos a su debido tiempo (1 Pedro 5:6).

Reflexión

¿Qué sucede, según Lucas 16:10, si servimos bien en las cosas pequeñas?

CAPÍTULO 3

Cuando se ministra con compasión

Versículo clave para memorizar

«En cambio, la sabiduría que desciende del cielo es ante todo pura, y además pacífica, bondadosa, dócil, llena de compasión y de buenos frutos, imparcial y sincera.»
Santiago 3:17

Día 1

Amar sin importar la respuesta

Cada vez que el Señor Jesús ministraba, su ministerio salía de su corazón amoroso y compasivo. *«Al ver a las multitudes tuvo compasión de ellas, porque estaban agobiadas y desamparadas, como ovejas sin pastor.»* (Mateo 9:36).

Jesús amaba a las personas a las que servía. Él lo ha llamado a usted a hacer lo mismo. A menudo se cita la Primera Carta a los Corintios 13 como el «capítulo del amor». Este capítulo nos enseña que podemos realizar muchas obras y «ministerios cristianos», pero si no tenemos un corazón amoroso, no será de provecho para nosotros ni para los demás.

El amor no es sólo un sentimiento sino una decisión que se debe tomar. *El amor consiste en dar sin esperar nada a cambio*. Jesucristo nos amó de una manera extraordinaria porque fue a la cruz y decidió amarnos sin importar nuestra respuesta. ¿Cómo le parece esta prueba de amor? Él nos ama sin necesidad de que lo amemos. De la misma manera, él nos ha llamado a amar a los demás hasta dar nuestra vida por ellos. Sabemos que podemos amar a otros porque Cristo nos amo primero, puesto que Él vive en nosotros. Así podemos permitir todos los días que el amor de Dios se desarrolle en nuestras vidas. Ya sea que vivamos por lo que la Palabra de Dios dice, y por la verdad de que Cristo vive en nosotros, o ya sea que vivamos por nuestras emociones y por la manera en que sentimos. En las Escrituras se presenta una lista de referencia que se usa cuando se ministra a otros: *«En cambio, la sabiduría que desciende del cielo es ante todo pura, y además pacífica, bondadosa, dócil, llena de compasión y de buenos frutos, imparcial y sincera»* (Santiago 3:17).

Si usted quiere aconsejar, puede fácilmente darse cuenta si posee la compasión que tuvo Cristo al preguntarse: «¿Estoy acaso dispuesto a ceder?» «¿El consejo que le doy es puro?» «¿Le estoy trayendo paz o confusión?» Dios no es el autor de confusión sino de paz (1 Corintios 14:33 RV). Muchas veces quizá digamos lo correcto pero con una actitud equivocada, y como consecuencia esto no producirá los resultados espirituales que Dios desea. Podemos responder con la humildad del cordero o con la astucia de la serpiente a los que nos rodean. Recuerde que un cordero está dispuesto incluso a ser llevado al matadero (Isaías 53:7). El diablo siempre deseará imponerse como la serpiente diciendo: «¿Quién eres *tú para decirme* lo que debo hacer?» Dios nos ha llamado a ministrar como un cordero, con amor y compasión.

Reflexión

¿Cuál es la diferencia entre servir con compasión y servir sin compasión? Nombre las cosas de la lista de referencia de Santiago 3:17 que serán evidentes cuando usted ministre a otros en el nombre de Dios.

Día 2

Pequeño comienzo

Cuando ministramos a otros con un corazón amoroso y compasivo debemos reconocer los tipos de ministerios que el Señor ha dado a su pueblo. La primera Carta a los Corintios 12:4-7,11 dice: *«Ahora bien, hay diversidad de dones, pero el Espíritu es el mismo. Y hay diversidad de ministerios, pero el Señor es el mismo. Y hay diversidad de operaciones, pero Dios, que hace todas las cosas en todos, es el mismo. Pero a cada uno le es dada la manifestación del Espíritu para provecho. Pero todas estas cosas las hace uno y el mismo Espíritu, repartiendo a cada uno en particular como él quiere.» (RV).*

He conocido personas que creen que son llamados a ministrar a otros a través del canto o liderando la adoración, cuando en realidad no pueden llevar un tono. Simplemente el Señor no les ha dado la cualidad de cantar. Necesitamos más que una motivación interna un don espiritual, también necesitamos estar capacitados para realizarlo. Dios es quien nos da el poder de realizar un ministerio de cualquier tipo. Sabremos que estamos ejerciendo el ministerio que Dios nos ha dado porque producirá frutos.

Un buen lugar para ministrar la salvación es el entorno de un pequeño grupo como una célula o una iglesia en casa. Quizás Dios lo ha llamado a profetizar, empiece en un grupo pequeño. Quizás el Señor le haya dado una canción para cantar y bendecir a otros creyentes El lugar más indicado para empezar es un pequeño grupo de creyentes. Cuando usted es fiel en este pequeño entorno, el Señor puede lanzarlo a escenarios más grandes en el futuro.

A veces los creyentes tienen lo que llaman «la picazón del predicador». Piensan que son responsables de predicar y enseñar en todas las reuniones donde van. Desear predicar es un deseo muy noble. Sin embargo, el ministerio consiste en servir a la otra persona. Como lo mencionamos en el último capítulo, Esteban y Felipe servían inicialmente las mesas y luego Dios los lanzó como evangelistas poderosos. Debemos seguir su ejemplo.

Reflexión

¿De qué manera puede usted empezar a permitir que el Señor lo use en su don o dones espirituales? ¿Reconocen los demás el don o los dones en usted?

Día 3

Lo que cuenta para la eternidad

Hace muchos años ministramos a un grupo de jóvenes que crecieron en hogares sin Cristo. Cierto día, algunos de estos jóvenes se sentaron en la capota de nuestro Volkswagen y lo dañaron. A partir de ese día, cada vez que llovía el agua chorreaba en mis piernas mientras conducía. Por un rato revise mi actitud. Entonces pensé cuál debía ser mi actitud. ¿En realidad valía la pena ministrar a estos jóvenes que arruinaron mi auto, y que no mostraban aprecio por lo que hicimos por ellos? ¿Importaba lo que hicieron? Pronto entendí que lo importante era el futuro y el lugar donde esos jóvenes pasarían la eternidad. Pasaron los años y luego supimos que llegaron a ser cristianos activos.

Cuando miramos la vida desde la perspectiva de Dios nos damos cuenta de que todo depende de nuestra relación con Dios y con los demás. El llamado de Dios se evidencia en nuestras vidas primeramente si lo amamos. Luego comenzaremos a amar a las personas. El apóstol Pablo dijo en la Primera Carta a los Corintios 9:22 «*Entre los débiles me hice débil, a fin de ganar a los débiles. Me hice todo para todos, a fin de salvar a algunos por todos los medios posibles.*»

Si realmente amamos a las personas con el amor de Jesucristo y las vemos desde la perspectiva de Dios, haremos cualquier que eso demande para relacionarse y ayudarles a llegar a conocer al Señor Jesús y cumplir con el llamado que tiene Dios para sus vidas. Muchas cuestiones que consideramos de gran importancia son en realidad secundarias a los ojos de Dios. Lo más importante es que amemos al Señor Jesús, nos amemos los unos a los otros y nos demos cuenta que somos ministros. Dios está llamando a muchas personas para que sean parte de su iglesia como dice en Gálatas 3:28-29 «*Ya no hay judío ni griego, esclavo ni libre, hombre ni mujer, sino que todos ustedes son uno solo en Cristo Jesús. Y si ustedes pertenecen a Cristo, son la descendencia de Abraham y herederos según la promesa.*»

Me emociono cuando voy a una reunión de creyentes y los veo amarse y aceptarse los unos a los otros. Una persona vestida muy elegantemente se sienta al lado de alguien vestido con blue jeans. No hay distinciones sociales, nacionales, raciales o de género en lo que respecta a Dios nuestro Señor. Lo exterior no es importante sino lo que está dentro—un corazón que está siendo cambiado por Jesucristo.

Reflexión

¿En qué forma puede usted «hacerse todo para todo» (1 Corintios 9:22)? ¿Por qué es importante amar a todos, sin importar la raza, la cultura, el género, la posición social, las riquezas o la edad?

Día 4

Dios usa a personas imperfectas

Tomémonos un momento para analizar el tipo de persona que Dios llama al liderazgo para ministrar de manera efectiva a otros. Esto quizás nos sorprenda. Empecemos con Moisés. «*Pero Moisés le dijo a Dios: —¿Y quién soy yo para presentarme ante el faraón y sacar de Egipto a los israelitas? —Yo estaré contigo...*» (Éxodo 3:11-12).

Moisés no creía que él era capaz de hacer lo que el Señor le estaba pidiendo hacer. La mayoría de los líderes cristianos creen lo mismo. Saben que deben depender de las fuerzas de Dios y no de las suyas. El primer estudio bíblico que dirigí en un grupo pequeño parecía ser una tarea monumental, pero di un paso de fe porque sabía que Dios me daría las fuerzas. Josué tenia miedo cuando respondió al llamado de Dios. Entonces Dios le dijo a Josué: «*Ya te lo he ordenado: ¡Sé fuerte y valiente! ¡No tengas miedo ni te desanimes! Porque el Señor tu Dios te acompañará dondequiera que vayas.*»

Continuamente el Señor tenía que alentar a Josué en su nuevo papel de líder. No dependemos de nuestra habilidad sino de la de Dios en nosotros. Si usted cree que no tiene los dones naturales que necesita para poder ministrar, no se desanime. Moisés, Josué y muchos otros, creyeron lo mismo. Pero Dios los uso igualmente. La Biblia nos dice que Dios ha elegido a personas imperfectas para cumplir sus propósitos y así confundir la sabiduría de los que creen ser sabios en este mundo (1 Corintios 1:27).

Reflexión

Describa alguna vez en la que se sintió inadecuado para ministrar pero que el Señor le dio la gracia de hacerlo. ¿Qué promete el Señor en Josué 1:9?

Día 5

No tenga temor

Gedeón fue otra persona que tuvo miedo cuando el Señor lo llamó al liderazgo. «*Pero, Señor —replicó Gedeón— si el Señor está con nosotros, ¿cómo es que nos sucede todo esto? ¿Dónde están todas las maravillas que nos contaban nuestros padres, cuando decían: ¡El Señor nos sacó de Egipto! ¡ La verdad es que el Señor nos ha desamparado y nos ha entregado en manos de Madián! El Señor lo encaró y le dijo:*

—Ve con la fuerza que tienes, y salvarás a Israel del poder de Madián. Yo soy quien te envía.

—Pero Señor —objetó Gedeón—, ¡cómo voy a salvar a Israel? Mi clan es el más débil de la tribu de Manasés, y yo soy el más insignificante de mi familia. El Señor respondió:

*—Tú derrotarás a los madianitas como si fueran un solo hombre...» (*Jueces 6:13-16).

¿Alguna vez se ha sentido usted como Gedeón? Quizá usted sepa que el Señor lo ha llamado a ministrar, y sin embargo cuando considera su «propio historial», difícilmente pueda creer que el Señor pueda usarlo. Con todo, si usted busca servir al Señor, el estará con usted (Mateo 28:19-20).

Jeremías fue un profeta que sentía de la misma manera, que se sienten muchos jóvenes cuando el Señor los llama. En el libro de Jeremías 1:6-8 dice: «*Yo le respondí: «¡Ah, Señor mi Dios!» ¡Soy muy joven, y no sé hablar! Pero el Señor me dijo: No digas: "Soy muy joven", porque vas a ir dondequiera que yo te envíe, y vas a decir todo lo que yo te ordene. No le temas a nadie, que yo estoy contigo para librarte.» Lo afirma el Señor.»*

Un sentimiento de «no puedo» es la respuesta de todos estos individuos cuando el Señor los llamó. Estas son las personas que el Señor usará —los que dependen por completo de Él. No importa cuál sea su tarea en la vida, el Señor promete estar con usted y ayudarlo.

Quizás usted sienta que ha cometido demasiados errores y que el Señor nunca lo usará nuevamente. Pero piense en Jonás. Después de huir de Dios y ser tragado por un gran pez, la Biblia afirma que: «*La Palabra del Señor vino por segunda vez a Jonás*» (Jonás 3:1).

Dios siempre nos da una segunda oportunidad pero debemos depositar toda nuestra confianza en él. Si Dios no es el que hace la obra, todo se esfuma. Dios tiene un «historial» para usar a los que se sienten débiles. Recuerde; el hombre mira la apariencia exterior pero Dios mira el corazón (1 Samuel 16:7). Cuando nuestro corazón está en completa sumisión a Él, es sorprendente la manera como el Señor puede prepararnos para asumir las responsabilidades que sobrepasan nuestro entendimiento.

Reflexión

¿Alguna vez ha rechazado usted el llamado de Dios? ¿De qué manera? ¿Le ha dado Dios una segunda oportunidad?

Día 6

Conectados y protegidos

Edificar su iglesia (Mateo 16:18). Su iglesia universal está compuesta por muchas iglesias locales en todas las partes del mundo. Su meta es atraer a hombres y mujeres a una relación salvadora con Cristo. Todas y cada una de las iglesias locales deben desear motivar a sus miembros a que se extiendan. Los líderes de la iglesia primitiva en Antioquía se reunían para ayunar y orar, y luego enviaban un equipo misionero. «*En la iglesia de Antioquía eran profetas y maestros...Mientras ayunaban y participaban en el culto del Señor, el Espíritu Santo dijo: «Apártenme a Bernabé y a Saulo para el trabajo al que los he llamado.» Así que después de ayunar, orar e imponerles las manos, los despidieron*» (Hechos 13:1-3).

Pablo y Bernabé no fueron enviados solos; la iglesia los apoyaba y alentaba a este equipo misionero, y a su vez ellos reportaban a la iglesia todo lo que había sucedido. «*De Atalía navegaron a Antioquía, donde se los había encomendado a la gracia de Dios para la obra que ya habían realizado. Cuando llegaron, reunieron a la iglesia e informaron de todo lo que Dios había hecho por medio de ellos...»* (Hechos 14:26-27).

Esta historia muestra la importancia de ser enviado desde nuestra iglesia local, con el compromiso de reportar lo que el Señor está haciendo a través de nosotros. El deseo de Dios es continuar edificando su iglesia. Jesús le dijo a sus discípulos que las puertas del infierno no prevalecerían contra la verdadera iglesia de Jesucristo (Mateo 16:18).

A veces, por celo o por falta de comprensión de las Escrituras, los cristianos se emocionan en cuanto al hecho de ministrar, sin estar conectados con la iglesia local. He conocido a varias personas que no estaban correctamente conectados al Cuerpo de Cristo y han pasado por muchas pruebas innecesarias. Cuando ministramos a otros, es importante estar correctamente conectados y bajo la cobertura de nuestra iglesia local.

Reflexión

¿De qué manera está usted conectado y protegido por su iglesia? ¿Qué puede suceder si no está conectado?

Día 7

Todos somos reyes y sacerdotes

Aunque es difícil de admitir, muchas veces basamos nuestra comprensión de Dios en nuestras ideas preconcebidas y experiencias pasadas. Los bautistas crecen con una compresión bautista de la Escritura, y lo mismo puede decirse de los metodistas, luteranos y carismáticos y así sucesivamente. Dependiendo de nuestra denominación eclesiástica, pensamos que nuestra teología es la correcta. La verdad es esta: Debemos asegurarnos si lo que creemos se basa sólo en la Palabra de Dios, y que no estamos en una doctrina distorsionada. Los cristianos de Berea se negaron adoptar todo lo que Pablo predicó. Fueron a sus casas y estudiaron las Sagradas Escrituras para asegurarse de que lo que Pablo decía era verdad *«...de modo que recibieron el mensaje con toda avidez y todos los días examinaban las Escrituras para ver si era verdad lo que se les anunciaba»* (Hechos 17:11).

¿Es posible que ciertas tradiciones escriturales no se basen totalmente en la Biblia? ¿Podría ser que la verdadera razón por la que ciertas cosas se hacen es porque nuestros padres o abuelos espirituales las hicieron? He escuchado la historia de una joven mujer que siempre cortaba los extremos de un pernil de cerdo antes de meterlo al horno. Cuando se le preguntó la razón por la que seguía este procedimiento, ella dijo: «Porque mi abuela lo hacía así». Esta mujer nunca supo que la cacerola que usaba su abuela era demasiado pequeña para contener el pernil entero —¡Esa era la única razón que su abuela tenía para cortar los extremos!

Sin embargo, algunas tradiciones son buenas; sólo debemos estar seguros de que nuestro modo de pensar es el mismo que el de Dios. Creo que una tradición errónea (no bíblica) es la de que el pastor debe realizar todo el ministerio, en tanto que otros santos, simplemente vienen semana tras semana para ser alimentados. Como hemos aprendido, a partir de las Escrituras, en este libro, todos estamos llamados a ser ministros. De otra manera la iglesia nunca se edificará como el Señor lo propuso.

En la actualidad muchos cristianos tienen pastores que ha sido exaltados como hombres santos, que se colocan entre los feligreses y el Señor. Las Escrituras nos dicen que Dios nos ha hecho a todos reyes y sacerdotes. *«Al que ha hecho de nosotros un reino de sacerdotes al servicio de Dios su Padre...»* (Apocalipsis 1:6).

Todos tenemos acceso directo al Padre a través de la sangre derramada por Jesucristo. Alabe al señor por los pastores, ancianos y líderes espirituales que el Señor ha colocado en nuestras vidas, pero no esperemos que hagan todo el ministerio. Dios nos ha llamado a ministrar a otros. Nuestros líderes deben alentarnos, equiparnos e instruirnos para ser siervos. Pida al Señor que abra sus ojos para ver las necesidades alrededor suyo. Luego espere que el Señor le dé la gracia y las fuerzas para comenzar su trabajo en el lugar que él le indique.

Reflexión

¿De qué manera es usted responsable de lo que cree? ¿De qué manera Apocalipsis 1:6 se relaciona con esta responsabilidad?

CAPÍTULO 4

¡Estamos en el mismo equipo de Jesús!

Versículo clave para memorizar

«Pero tenemos este tesoro en vasijas de barro para que se vea que tan sublime poder viene de Dios y no de nosotros.»
2 Corintios 4:7

Día 1

Viva cada día a plenitud

¿Cómo se sentiría usted si el Presidente o el Primer Ministro de su nación lo llamaran a servir en su equipo? ¡Tengo noticias aún más grandiosas para usted: el Rey del universo lo ha escogido personalmente como uno de sus ministros! Cuando nos levantamos por la mañana podemos estar seguros de que Dios quiere usarnos para hacer su obra en su trabajo, escuela, casa o comunidad y en todas partes. Dios está orquestando sus planes en nuestras vidas, por lo tanto conoceremos personas que necesitan a Jesucristo, y su ministerio. Cuando confiamos en Él en fe, seguramente nos revelará sus planes incluyéndonos a nosotros.

Una de las trampas que el diablo intenta, es que no nos realicemos en Dios y el ministerio tratando de mantenernos atados al pasado. Si eso no le funciona, tratará de preocuparnos por nuestro futuro. Dios quiere que vivamos a plenitud el presente y que le permitamos reinar en medio de nuestros problemas. Mateo 6:33-34 nos dice: «*Más bien, busquen primeramente el reino de Dios y su justicia, y todas estas cosas les serán añadidas. Por lo tanto, no se angustien por la mañana, el cual tendrá sus propios afanes. Cada día tiene ya sus problemas.*»

Cuando usted lee la Biblia descubrirá que a todo milagro le precede un problema. El Mar Rojo se abrió porque los hijos de Israel tenían un problema —debían huir de la persecución de los egipcios. El Señor Jesús alimentó a cinco mil porque había un problema —la gente estaba hambrienta. El hombre ciego tenía un problema —no podía ver. Dios desea usarlo como instrumento de su poder milagroso.

Hace algún tiempo estaba hablando con un grupo pequeño de personas y tuve la impresión de que una de las damas sufría un miedo que la había estado atormentando durante muchos años. Cuando le pregunté acerca de su miedo, ella empezó a llorar. Oramos para que el Señor Jesús le quitara el temor y le ministrará su paz y sanidad. Usted debe mantener los ojos abiertos para que Dios le muestre las necesidades que hay en torno suyo. Puede decir palabras que traigan vida.

Reflexión

¿Cuáles son las cosas que usted recibirá cuando busque primeramente el reino de Dios (Mateo 6:33-34)? ¿Qué sucede cuando usted da palabras de aliento a otros?

Día 2

Espere que Jesús lo use

Algunos cristianos creen que necesitan planificar su vida en los más pequeños detalles pero en realidad debemos vivir un día a la vez. En este sentido, la vida se parece a un partido de fútbol. El entrenador no planifica en detalle todas las jugadas porque estas dependen de las jugadas del equipo contrincante. En el «juego de la vida», el enemigo tiene planes y Dios también tiene planes y nosotros nos encontramos en medio de la cancha de juego. Confiemos en Jesús día a día y minuto a minuto y esperemos que él nos use para ministrar a otros.

Cuando aprendamos a tener comunión con el Señor y a escuchar su voz, entenderemos que Él siempre trabaja alrededor nuestro, y dijo: «*...Mi Padre aun hoy está trabajando, y yo también trabajo. — Ciertamente les aseguro que el hijo no puede hacer nada por su propia cuenta, sino solamente lo que ve que su padre hace, porque cualquier cosa que hace el padre, la hace también el hijo. Pues el padre ama al hijo y le muestra lo que hace. Sí, y aun cosas más grandes que éstas le mostrará, que los dejará a ustedes asombrados.*» (Juan 5:17, 19-20). ¿Qué está haciendo Dios alrededor suyo? Averigüe primero y luego asóciese con Él. Recuerde: Dios es el iniciador y nosotros somos lo seguimos. «*Nadie puede venir a mí si no lo atrae el padre que me envió, y yo lo resucitaré en el día final.*» (Juan 6:44).

Dios está atrayendo a las personas a los pies del Señor Jesucristo. Oremos y luego respondamos a medida que el Espíritu Santo nos guíe a ministrar a otros.

Reflexión

¿Cómo descubrimos el plan de Dios para nuestras vidas? ¿Cómo nos asociamos con Dios para ministrar a otros?

Día 3

Ministre con su amor

Nunca olvide que Dios desea una relación de amor personal con cada uno de nosotros antes que nada, (aunque es importante ministrar a otros). Es verdad que él nos ama. ¿Cómo sabemos que nos ama? Porque dio su vida por nosotros en la cruz hace dos mil años. ¡Jesús nos ama como el Padre lo ama a Él! «*Así como el Padre me ha amado a mí, también yo los he amado a ustedes. Permanezcan en mi amor. Si obedecen mis mandamientos, permanecerán en mi amor, así como yo he obedecido los mandamientos de mi padre y permanezco en su amor. Nadie tiene amor más grande que el dar la vida por sus amigos.* (Juan 15:9-10,13).

En cierta ocasión mi hija oró con una dama joven en otra nación. «¿En verdad amas a Jesús?» —le preguntó mi hija. «Oh sí», —le respondió la joven «pero no puedo amar a Dios Padre». Luego le explicó que su padre la había tocado indebidamente y debido a esta experiencia devastadora, no podía confiar en el Padre celestial. Mi hija le explicó que Dios, nuestro Padre celestial, la amaba con un amor perfecto.

¿Cómo sabemos que Jesús nos ama con un amor prefecto? Por causa de su obra en la cruz. La Cruz es la prueba máxima de su amor. Cuando ministramos tenemos que hacerlo porque comprendemos que Dios nos ama. Nunca debemos ministrar, porque somos aceptados por Dios y por lo tanto somos ministros hábiles de su amor. En Isaías 43:4, Dios expresa su amor por Israel: *«...Porque te amo y eres ante mis ojos precioso y digno de honra...»*

Este mismo amor se aplica a usted y a mí actualmente. Cuando experimentamos este amor, entonces podemos ministrar de manera efectiva a los que nos rodean. Los amantes se dicen el uno al otro todos los días que se aman. De la misma manera debemos decirle a nuestro Dios cuánto le amamos. Él nos dice en su Palabra una y otra vez cuánto nos ama. Podemos tener un ministerio efectivo hacía otros cuando experimentamos la aceptación y el amor de Dios en nuestras vidas.

Reflexión

¿Qué ha aprendido sobre el amor de Dios en los versículos anteriores del libro de Juan? ¿De qué manera podemos amar a otros como los ama el Señor Jesús?

Día 4

Asóciese con Jesús

Tenemos el privilegio de asociarnos con Dios e involucrarnos en lo que él está haciendo en el mundo actualmente. La Biblia nos dice en Juan 15:16: *«No me escogieron ustedes a mí, sino que yo los escogí a ustedes...»* Dios nos escogió; no lo dude. Cuando yo era chico jugaba béisbol con mis compañeros de clase. Sin embargo, puesto que yo no era un buen jugador, muchas veces no me escogían para el equipo. Recuerdo estar parado en una fila de jóvenes a la espera de ser escogido para jugar, me sentía muy feliz cuando me escogían. De la misma manera, Dios quiere que usted sepa que él lo ha escogido para servir en su equipo. Lo ha destinado para que produzca fruto para Él.

A todo lugar donde vaya esta semana pregúntele a Dios: «Señor, ¿qué estás haciendo alrededor mío? Abre mis ojos espirituales para ver de la manera que Tú lo haces. Sé que me amas. ¿De qué manera deseas que me involucre en tu obra?» Quizás el Señor lo guíe a decir unas palabras alentadoras, o le escriba una nota a alguien que necesita ser animado. O quizás lo llame a ministrar a los niños o a escuchar a alguien que está atravesando por un tiempo de tensión en su vida.

No conozco todas las razones por las que Dios eligió usar a las personas. Pero, si yo fuera Dios, probablemente no habría elegido usar a las personas, debido a la cantidad de errores que cometemos. A pesar de eso, Dios decidió usarnos para sus propósitos. Permanezcamos seguros en su amor para que podamos ministrar de una manera efectiva en su nombre.

Reflexión

¿Qué se siente ser socio de Jesús? ¿De qué manera está llevando fruto para Jesús?

Día 5

Decida obedecer

Si en verdad queremos ser creyentes eficaces, tenemos que decidirnos a obedecerle a Dios como su ministro cada día. Pablo escribió a los fieles de Corinto para animarles a obedecer al Señor en todo. «*Con este propósito les escribí: para ver si pasan la prueba de la completa obediencia.*» (2 Corintios 2:9).

La vida exige una serie compleja de decisiones. Hoy quizás haga decisiones que cambien o influyan el resto de su vida Asegúrese constantemente, de consultar al Señor en la toma de decisiones. De modo que podamos asociarnos conjuntamente con Jesús en el ministerio.

En el Antiguo Testamento, Naamán necesitaba ser sanado. Entonces se presentó ante el profeta Eliseo (2 Reyes 5) y este le dijo que se lavara en el río Jordán siete veces. Al principio reaccionó de una manera negativa, pero luego hizo la decisión, —ante la incitación de sus sirvientes— de obedecer la voz del profeta. Cuando se lavó por séptima vez su cuerpo fue restaurado. La obediencia trajo recompensa a Naamán. Ser obediente siempre trae excelentes recompensas. Todos los días usted y yo tenemos la oportunidad de ministrar a otros. El diablo tratará de hacernos pensar sólo en nosotros mismos y en nuestras necesidades y problemas. Pero cuando nos decidimos en el nombre de Jesús, cada día a asociarnos con Él, nuestra vida adquiere un nuevo significado.

Estoy muy agradecido con aquellos que me han ministrado en las distintas etapas de mi vida. Estoy agradecido con la dama joven que me habló de Jesucristo por primera vez hace muchos años, con el pastor que fue paciente conmigo y que me ministró cuando recibí el bautismo del Espíritu Santo y con mis padres y otros de quienes recibí provisión y cuidado cuando era joven a medida que me ministraban de una manera práctica. Estoy agradecido con los creyentes que me alentaron para seguir el camino verdadero. La Biblia nos dice que mucho se demandará a los que han recibido mucho (Lucas 12:48). Dios ha sido muy bueno con nosotros. ¡Decídase a hacerlo hoy!

Reflexión

¿Cómo obedece usted a Jesús en la toma de sus decisiones?

Día 6

Agrade a Dios antes que al hombre

Cuando usted trata de alcanzar o evangelizar en fe y ministra a otros quizá a veces encuentre rechazo o lo mal entiendan. Eso ocurrió cuando Jesús sanó a un ciego. Cuando los líderes religiosos le preguntaron al ciego si pensaba que Jesús era un pecador, él respondió: «*—Si es pecador, no lo sé —respondió el hombre. Lo único que sé es que yo era ciego y ahora veo.*» (Juan 9:25). Este hombre se negó a defenderse. Simplemente dijo la verdad. Cuando usted y yo decidimos obedecer al Dios viviente y ministrar a otros en el nombre de Jesús, no debemos sorprendernos si hay veces en que nos entienden mal. Recuerde: es a Dios a quien servimos primero, y no al hombre. Nos daremos cuenta que no siempre todos comprenderán. Muchas veces a Jesús y sus apóstoles les entendieron mal. De hecho, el apóstol Pablo escribe: «*¿Qué busco con esto: ganarme la aprobación humana o la de Dios? ¿Piensan que procure agradar a los demás? Si yo buscara agradar a otros, no sería siervo de Cristo.*» (Gálatas 1:10).

Agradar a Dios debe ser nuestra prioridad. Si deseamos agradar a las personas antes de agradar a Dios no somos verdaderos ministros de Jesucristo. Cuando recibí el bautismo del Espíritu Santo, muchas personas lo entendieron mal —aún personas bien intencionadas. A veces cuando tengo el privilegio de llevar a la gente a la fe en Jesucristo, los amigos y familiares de estos se han enojado conmigo. Pero éste es el precio que quizás tengamos que pagar cuando estamos llamados a ministrar a otros.

Cuando ministramos a otros se nos llama a amarlos y a hablar de una manera que a ellos les traiga paz y bendiciones de Dios. «*Si es posible, y en cuanto dependa de ustedes, vivan en paz con todos.*» (Romanos 12:18). Sin embargo, no podemos centrarnos en agradar al prójimo más que a Jesús. Los primeros apóstoles declararon osadamente: «*Es necesario obedecer a Dios antes que a los hombres*» (Hechos 5:29).

Reflexión

¿Alguna vez se esforzó por vivir en paz con alguien, pero tuvo que obedecer a Dios primero?

Día 7

Dios lo ha elegido

Una de las maneras más grandiosas en que experimentamos y desarrollamos la relación con el Señor es asociarnos con Él. Dios desea obrar a través de nosotros. «*Ciertamente les aseguro que el que cree en mí las obras que yo hago el también las hará, y aun las hará mayores, porque yo vuelvo al Padre. Cualquier cosa que ustedes pidan en mi nombre, yo las haré; así será glorificado el Padre en el Hijo. Lo que pidan en mi nombre, yo lo haré*» (Juan 14:12-14).

Durante el año en que estuve comprometido para casarme, pasamos mucho de nuestro tiempo trabajando con el ministerio de jóvenes y el Señor nos permitió conocernos mejor con mi esposa. Este mismo concepto es cierto en nuestra relación con nuestro Señor

Jesús. Cuando nos asociamos a Jesús y ministramos a otros, continuaremos conociéndolo de manera más íntima.

Mantenga sus «ojos espirituales» abiertos. ¿Qué está haciendo Jesús en su vida, en la vida de sus seres queridos o en la vida de los que Él ha puesto alrededor suyo? ¿Cómo le ha llamado a asociarse con Él para servir a otros? Espere que el Señor lo use hoy y recuerde «*Pero tenemos este tesoro en vasijas de barro para que se vea que tan sublime poder viene de Dios y no de nosotros*» (2 Corintios 4:7).

Tenemos un tesoro, a nuestro Señor Jesucristo, dentro de nosotros. El poder que tenemos para ministrar a otros no es nuestro —es de Dios. Somos débiles «tinajas de arcilla», pero Jesús vive poderosamente dentro de nuestra humana debilidad.

Cuando usted impone las manos sobre los enfermos y ora, espere que se recuperen. ¡Cristo vive en usted! Cuando dé palabras alentadoras a otros, espere que el Señor lo use para levantar la fe en ellos. ¡Y nunca lo olvide: Dios, el rey del universo, *lo* ha escogido como uno de sus ministros de su preferencia!

Reflexión

¿Cuáles son los resultados de asociarnos con el Señor (Juan 14:12-14)? Describa una época en la que se sintió débil, pero el Señor le dio las fuerzas dentro de su debilidad humana.

Fundamentos Bíblicos 12

La Gran Comisión

CAPÍTULO 1

¿Qué es la Gran Comisión?

Versículo clave para memorizar

«Por tanto, vayan y hagan discípulos de todas las naciones, bautizándoles en el nombre del Padre y del Hijo y del Espíritu Santo, enseñándoles a obedecer todo lo que les he mandado a ustedes. Y les aseguro que estaré con ustedes siempre, hasta el fin del mundo.»
Mateo 28:19-20

Día 1

Vayan y hagan discípulos

Después que el Señor Jesús se levantó de entre los muertos y estaba listo para regresar a su Padre, llamó a sus discípulos de manera conjunta y les dio algunas instrucciones. A menudo nos referimos a estas instrucciones como la «Gran Comisión». Leemos en Mateo 28:18-20: *«Jesús se acercó entonces a ellos y les dijo: —Se me ha dado toda autoridad en el cielo y en la tierra. Por tanto, vayan y hagan discípulos de todas las naciones, bautizándolos en el nombre del Padre y del Hijo y del Espíritu Santo, enseñándoles a obedecer todo lo que les he mandado a ustedes. Y les aseguro que estaré con ustedes siempre, hasta el fin del mundo.»*

¿No le habría gustado a usted estar allí cuando Jesús dio estas «órdenes de movilización» de último minuto a sus discípulos? Aunque los dejaría para ir con su Padre celestial, prometió estar con los discípulos hasta el fin.

Nuestra misión en la tierra sería hacer discípulos de todas las naciones. Todavía Jesús nos da esta comisión hoy en día. Como discípulos, nuestra actitud es de obediencia a la orden de vayan y hagan discípulos..

Una *comisión* es *un conjunto de órdenes o instrucciones*. «Ir» no es una opción en lo que respecta a las instrucciones del Señor Jesús. Algunos estudiosos de la Biblia nos dicen que la palabra «vayan» cuando se traduce del idioma griego original implica «habiendo ido». Dicho de otra manera, cuando vivimos nuestras vidas para Jesucristo, Dios ya nos ha llamado a hacer discípulos dondequiera que estemos. Vamos a cumplir este llamado en el trabajo, en nuestras familias, en nuestras comunidades, en la iglesia o en el campo misionero.

En este libro titulado Fundamentos Bíblicos nos presenta *La Gran Comisión* aprenderemos lo que significa ir como fuerza espiritual (como un ejército) a evangelizar, a hacer discípulos y a ser mentores para ver el reino de Dios avanzar. Descubriremos que una manera efectiva de hacer discípulos es ser mentor en calidad de padres o madres espirituales. Los padres o madres espirituales son los que ayudan con cariño a desarrollar y alentar la vida espiritual de otras personas, para que caminen el sendero y lleguen a ser padres espirituales también. Este tipo de enseñanza (mentores) desafía a todos los creyentes a tener padres espirituales y a la larga ser uno de ellos. De hecho, esta serie completa de libros de *Fundamentos Bíblicos* se escribió para que sirviera como herramienta para cualquier creyente que esté dispuesto a hacer discípulos de acuerdo al plan de nuestro Señor Jesucristo.

Reflexión

¿Qué es una comisión? ¿Dónde es usted llamado a hacer discípulos?

Día 2

Evangelice las naciones

Una parte importante de la Gran Comisión consiste en enviar misioneros a esas áreas del mundo que nunca hayan escuchado las buenas nuevas de Jesucristo. Hay muchos grupos y tribus en áreas todo el mundo que nunca han escuchado el evangelio. El Señor manda a los cristianos a evangelizar a las personas de todas las naciones «*...vayan y hagan discípulos de todas las naciones...*» (Mateo 28:19).

Dios nos ha llamado a nosotros como creyentes a llevar el evangelio a los confines de la tierra. Misioneros son todos aquellos que han escuchado el llamado de Dios para llevar el evangelio a otra cultura, en una región del mundo que no este familiarizada con esté. Estos misioneros escuchan el corazón de Dios para llevar las nuevas de salvación eterna a los que mueren sin la verdad. Quieren expresar la Palabra en el idioma de la personas que hablan otras lenguas. Ingresan a una nación, aprenden a hablar su idioma y viven entre ellos para explicar el evangelio y amarlos a medida que son atraídos al reino de Dios.

Alguien llamado a ser misionero quiere ver que el evangelio penetre en los corazones de las personas nativas y de las sociedades en las que viven. Mientras viven en su nación «adoptiva», se entregan a los que el Señor quiere redimir. Dios está buscando hombres y mujeres que vayan como misioneros a todos los rincones de la tierra para traducir la Biblia. Quizás Dios use su vida para llevar el mensaje de salvación a las personas necesitadas en otro país.

Todos nosotros estamos llamados a involucrarnos en las misiones de alguna manera. Algunos son llamados a ir mientras otros son llamados a orar por los misioneros y apoyarlos en el aspecto financiero. Pídale a Dios que le revele su plan en lo que respecta a las misiones a nivel mundial.

Reflexión

¿Dónde se nos ha comisionado a llevar el evangelio, según Mateo 28:19? ¿De qué manera podemos obedecer en términos prácticos al Señor para extendernos al mundo?

Día 3

La estrategia

La Gran Comisión es una orden muy simple. Es un llamado a hacer discípulos. Quizás usted se pregunte: «¿Cómo vamos a hacer discípulos?» —Empecemos exactamente ahí dónde estemos. Dios nos ha llamado como iglesia a evangelizar a todas las naciones del mundo, pero debemos preguntarle donde es nuestro llamado específico. Aunque algunos creyentes irán a otro país para hacer discípulos, muchos evangelizaran allí donde viven. Dios coloca personas a nuestro derredor que podamos evangelizar y enseñar.

Los discípulos se hacen uno a la vez. Jesús ministró a multitudes pero pasó la mayor parte de su tiempo con sus doce discípulos. Jesús tuvo diferentes niveles de relaciones con las personas que ministraba. Es probable que Juan fuera su amigo más cercano, según se lee en Juan 13:23. Juan se unió a Pedro y Jacobo, otro círculo de amigos íntimos que Jesús tenía. El resto de los discípulos comprendían otro nivel de amistad para Jesús. También pasó un tiempo con setenta discípulos así como con los 120 que atestiguaron su ascensión al Padre celestial (Hechos 1:15). Así, de la misma manera que Jesús tuvo diferentes niveles de amistad, usted tendrá varias esferas de amistades. El Señor desea que usted camine de cerca con varias personas a la vez de modo que pueda «verter su vida» en ellos. La iglesia de Jesucristo se construye a través de relaciones según 1 Pedro 2:5: «*También ustedes son como piedras vivas, con las cuales se está edificando una casa espiritual...*» Somos edificados y sustentados de una manera conjunta gracias a las relaciones que Dios nos manda. Cada uno de nosotros es una piedra viva que Dios usa para edificar su reino.

La intención de Dios es levantar padres espirituales que estén dispuestos a nutrir espiritualmente y ayudarlos a crecer en sus vidas cristianas. Una vez se le preguntó a Billy Graham qué haría si quisiera impactar una ciudad. Su plan era simple y estratégico. Encontraría a algunos hombres claves y pasaría tiempo con ellos, y literalmente vertería su vida en ellos para instruirlos en las cosas que el Señor lo habia mostrado. Como su padre espiritual, luego alentaría a cada uno de estos hombres a hacer lo mismo—encontrar otros hombres y verter sus vidas en ellos. Ésta es la esencia del discipulado y la paternidad espiritual. Este renombrado evangelista creía que podría ver toda una ciudad transformada para Cristo gracias a esta estrategia. Estoy completamente de acuerdo. El Señor recuerda a la iglesia la verdad del discipulado y la paternidad espiritual.

Reflexión

¿Cómo se hacen los discípulos? Piense en su esfera de relaciones; ¿cómo puede usted hacer discípulos al interior de esas esferas?

Día 4

Relaciones que duran por siempre

El Señor nos ha llamado a desarrollar relaciones sociales y vemos que las relaciones verdaderas duran por siempre. Cuando usted y yo vayamos al cielo vamos a gozar la relación que tenemos con Dios y también de la que tenemos los unos con los otros. Los edificios y los programas de la iglesia se desmoronan pero las relaciones duran por la eternidad. La iglesia primitiva se reunía «de casa en casa» para experimentar al máximo las relaciones de tipo familiar. Las relaciones son la clave para el reino de Dios. A medida que se reúnen en las casas, los hermanos pueden nutrirse, equiparse y servirse unos a los otros. «*Y perseverando unánimes cada día en el templo, y partiendo el pan en las casas, comían juntos con alegría y sencillez de corazón, alabando a Dios, y teniendo favor con todo el pueblo. Y el Señor añadía cada día a la iglesia los que habían de ser salvos.*» (Hechos 2:46-47 RV).

Continuamente se agregan nuevas personas a la familia de la iglesia, porque los primeros cristianos practicaban el amarse los unos a los otros. Se reunían en grupos pequeños para hacerlo con más facilidad. Hoy en día, cada vez más iglesias utilizan pequeños grupos para experimentar los dones y talentos que Dios da a cada persona. En estos pequeños grupos los hermanos pueden orar los unos por los otros y experimentar a Dios de una manera personal cuando obedecen el mandato de hacer discípulos.

Como podrá notar que el hacer discípulos no se da por si solo. Ore y pídale al Señor que le muestre aquellas relaciones que él quiere que usted desarrolle para que pueda «verter su vida» en los demás y ayudarlos a madurar en Jesucristo. La Palabra de Dios tiene poder para transformar vidas.

«A la verdad, no me avergüenzo del evangelio, pues es poder de Dios para la salvación de todos los que creen: de los judíos primeramente, pero también de los gentiles. (Romanos 1:16).

Me explico: El mensaje de la cruz es una locura para los que se pierden; en cambio, para los que se salvan, es decir, para nosotros, este mensaje es el poder de Dios. (1 Corintios 1:18)».

¡El evangelio es poderoso! Algunos tienen como oficio manipular dinamita y hacen estallar las laderas de las montañas para abrirlas y construir carreteras. Las propiedades explosivas de la dinamita, cuando se usan de una manera adecuada, son bastante efectivas. También podemos ser explosivos cuando vamos a extender el evangelio.

Durante el avivamiento galés, a principios de 1900, muchos oficiales de la policía no tenían nada que hacer porque el crimen había disminuido debido al impacto del evangelio. Entonces las fuerzas policiales formaban cuartetos musicales y animaban los actos solemnes de la comunidad.

Reflexión

¿Por qué es un grupo pequeño un ambiente más efectivo para el discipulado que un grupo más grande?

Día 5

Su vida es como leer un libro

El apóstol Pablo les dio instrucciones a los primeros creyentes para seguir el estilo de vida que él llevaba. «*Sed imitadores de mí, así como yo de Cristo.*» (1 Corintios 11:1 RV).

Sabemos que las personas nos imitarán cuando nuestras vidas irradien amor hacia Dios y hacia los demás. Serán atraídos a Jesús porque ven su carácter en nuestras vidas. ¿Saben ustedes que el único libro espiritual que las personas alguna vez han leído es *el libro de su vida*? De hecho, la Biblia dice en 2 Corintios 3:2-3: «*Ustedes mismos son nuestra carta, escrita en nuestro corazón, conocida y leída por todos. Es evidente que ustedes son una carta de Cristo, expedida por nosotros, escrita no con tinta sino con el Espíritu del Dios viviente; no en tablas de piedra sino en tablas de carne, en los corazones*».

En el Antiguo Testamento, las leyes de Dios se escribieron en tablas de piedra en el Monte Sinaí. Pero ahora, bajo el Nuevo Pacto de Cristo, el Espíritu Santo escribe la ley de Dios en el corazón de las personas. Esta ley interna consiste en amar a Dios y a los demás. Las personas «leen» nuestras vidas como un libro. Éste es un tremendo privilegio; porque servimos como modelo a las personas que miran nuestras vidas. Si usted es padre, las personas miran la manera cómo usted se relaciona con sus hijos. Si algunas personas no creyentes practican deportes con usted, usted tiene el privilegio de mostrarles actitudes piadosas cuando juega. En su casa, en su lugar de trabajo, o en la escuela, muchas personas están mirando si su vida en realidad muestra los principios de Dios. Si ven que usted fracasa y comete un error, esperan que se arrepienta y haga lo correcto. Las personas no creyentes están a la búsqueda de cristianos verdaderos y no de personas religiosas que vivan de acuerdo a un conjunto de leyes legalistas hecho por los hombres. Están en búsqueda de gente que tengan el amor de Dios escrito en sus corazones.

Mi vida fue cambiada de una manera más profunda cuando miré el ejemplo de otras personas que vivieron a mi alrededor. Aunque he disfrutado la lectura de buenos libros y he escuchado a grandes predicadores, el impacto más poderoso que Cristo ha hecho en mi vida procede de verlo vivo en el corazón de otros creyentes. A veces las personas que he tomado como modelo han cometido errores. Pero también he visto su arrepentimiento. Su ejemplo me ha estimulado al «amor y las buenas obras» (Hebreos 10:24). Estoy eternamente agradecido con las personas que el Señor ha colocado a mi alrededor para ayudarme a crecer en mi vida cristiana y ser conforme a la imagen de Jesucristo.

Reflexión

¿A quién debemos imitar (1 Corintios 11:1)? Describa una época en la que vio a Cristo en alguien que influyó en su vida.

Día 6

Minimice las diferencias; maximice al Señor Jesús

Una de las razones por las cuales el pueblo de Dios ha perdido de vista el hacer discípulos es porque el enemigo los ha engañado y desvía su atención a los problemas y diferencias que suceden en la iglesia. Tenemos que centrarnos en Jesús y en el hecho de hacer discípulos, (Mateo 6:33) nos dice: «*Más bien, busquen primeramente el reino de Dios y su justicia...*»

El reino de Dios se consolidará con su dominio universal. Dios es el rey del universo. Somos sus siervos y somos parte de su dominio. En su dominio está todo creyente que nombra el nombre de Jesús. En él se encuentra toda congregación y toda familia de iglesias que le honran como señor y creen en su palabra.

Pero en su reino hay una gran variedad. Cuando tengo la oportunidad de asistir a una reunión familiar me sorprendo de lo diferente que es la apariencia de cada uno de nosotros, aunque tenemos ciertas características en común. Al igual que cada familia tiene sus propios rasgos distintivos, todas las congregaciones, denominaciones o familias de iglesias tienen sus propias características que los distinguen, quizás algunos cristianos tengan la convicción personal de celebrar ciertas fiestas y otros no. No debemos permitir que estas cuestiones nos dividan. La Biblia nos dice: «*Hay quien considera que un día tiene más importancia que otro, pero hay quien considera iguales todos los días. Cada uno debe estar firme en sus propias opiniones.*» (Romanos 14:5).

Tenemos que saber lo que creemos, en cuanto a cuestiones menores no debemos sentirnos presionados a verlas exactamente de la misma manera. También debemos ser cuidadosos de no forzar a los demás a que crean como nosotros en cuanto a cosas menores. Somos llamados a unirnos para edificar su reino. Centrémonos en Jesús y en cumplir su Gran Comisión. Cuando lleguemos al cielo es probable que averigüemos que estábamos equivocados en ciertas cosas. ¡Es tranquilizador saber que Jesús está comprometido con nosotros, a pesar de todo! En la oración que Jesús hace por los creyentes en Juan 17:20-21 ora por su unidad espiritual. «*No ruego sólo por éstos. Ruego también por los que han de creer en mí por el mensaje de ellos, para que todos sean uno. Padre, así como tú estás en mí y yo en ti, permite que ellos también estén en nosotros, para que el mundo crea que tú me has enviado.»*

Nuestra identidad se basa en la relación que tenemos en común con Jesús. No tenemos que pensar exactamente igual pero nos unen las actitudes básicas hacia la verdad y Su Palabra. El diablo ha tratado de dividir a la iglesia durante generaciones. No permita que el diablo lo use a usted para criticar. Jesucristo va a regresar por una iglesia que esté enamorada de Él y de los unos a los otros. Nuestro Dios va a regresar por una novia inmaculada *«Para presentársela a sí mismo como una iglesia radiante, sin mancha ni arruga ni ninguna otra imperfección, sino santa e intachable.»* (Efesios 5:27).

Aunque la iglesia está lejos de ser perfecta, llegaremos a ser conformes a la imagen de Cristo, y también seremos la novia inmaculada que nuestro Señor desea.

Reflexión

¿Qué piensa usted cuál debe ser la apariencia de la novia inmaculada de Cristo?

Día 7

Oración, evangelismo y discipulado

La vida de Jesús se caracterizó por la oración, la evangelización y el discipulado. Estos valores básicos que caracterizan la vida de Jesús me recuerdan a un banco de tres patas. Vivo en una comunidad agrícola. Muchos de los que han crecido en una finca pueden recordar que sus padres usaban un banco de tres patas para ordeñar las vacas en la mañana y en la noche. ¿Por qué sólo tenía tres patas? Porque no importa donde se lo coloque (en el piso o en el granero) siempre estará estable. De la misma manera, creemos que Dios le ha dado a su iglesia un banco de tres patas en cuanto a la verdad. Cuando el usa la oración, el evangelismo y el discipulado para edificar su iglesia. Cuando entregamos nuestras vidas para ayudar a otros: orando, evangelizando y discipulando, el Señor asegura que en retribución seremos bendecidos. De hecho, la manera más grande de ser bendecidos es hacer los que las Escrituras dicen en Lucas 6:38, *«Den, y se les dará: se les echará en el regazo una medida llena, apretada, sacudida y desbordante. Porque con la medida que midan a otros, se les medirá a ustedes.»*

La Biblia dice en Eclesiastés 11:1: «*Lanza tu pan sobre el agua; después de algún tiempo volverás a encontrarlo.*» Puede parecer que esta desperdiciando la oportunidad de satisfacer sus propias necesidades, cuando aparta tiempo y hace el esfuerzo de evangelizar para discipular y ser mentor de otras personas, pero sucede todo lo contrario, al sembrar en la vida de los demás se nos promete retribución.Proverbios11:25 dice «*...el que reanima será reanimado.*»

Una amiga estaba enferma y deseaba ser sanada. En lugar de concentrarse en su problema empezó a orar por otra persona que necesitaba sanidad. Durante la oración, el Señor milagrosamente sanó el cuerpo de ella y trajo sanidad a su vida. Mientras ella reanimaba a alguien más, ella fue reanimada por Dios.

Reflexión

Cuando vertemos nuestras vidas por los demás, ¿qué se nos promete en Lucas 6:38? ¿En Proverbios 11:25?

CAPÍTULO 2

¡Alístese para la acción! Guerra espiritual

Versículo clave para memorizar

«Porque nuestra lucha no es contra seres humanos, sino contra poderes, contra autoridades, contra potestades que dominan este mundo de tinieblas, contra fuerzas espirituales malignas en las regiones celestiales.»
Efesios 6:12

Día 1

Somos un ejército espiritual

A lo largo de las Escrituras se nos exhorta a ser soldados, que peleen batallas espirituales. Imagínese lo absurdo que sería pasar todo el día en reuniones aprendiendo cómo estar en el ejército. ¡Los verdaderos soldados no se limitan sólo a ir a reuniones! Tienen que soportar grandes penurias y sufrimientos en el mundo. «*Comparte nuestros sufrimientos, como buen soldado de Cristo Jesús.*» (2 Timoteo 2:3). Estamos comprometidos en una guerra espiritual.

Asimismo, en el reino de Dios formamos un ejército espiritual y estamos dispuestos a soportar grandes sufrimientos y dificultades para ayudar a otras personas a salir de las tinieblas espirituales. La razón por la cual los cristianos se reúnen en grupos pequeños es para ser capacitados en la Palabra de Dios, para que podamos salir al mundo como soldados victoriosos, porque nuestra tarea es que las personas lleguen a conocer a Jesucristo.

La iglesia es como un ejército con una unidad de servicio médico. Si los soldados de Dios son heridos pueden recibir cura y volver al campo de batalla. Dios está edificando su reino, el cual está compuesto por muchas iglesias diferentes, familias de iglesias y denominaciones que son llamadas a trabajar de manera conjunta en todo el mundo.

Debemos animar a otros cristianos a continuar en la fe «*...anímense unos a otros cada día...*» (Hebreos 3:13a). Animémonos y fortalezcámonos unos a otros para que nos paremos juntos como un ejército fuerte que se prepara para el regreso de nuestro Señor Jesús. Podemos animar a las personas que forman parte del cuerpo de Cristo por medio de tarjetas, cartas, llamadas telefónicas y gestos de amabilidad. El diablo le miente al pueblo de Dios al decirles que no son buenos y que nunca cumplirán el propósito de Dios para sus vidas. Dios quiere que edifiquemos a su pueblo, lo fortalezcamos, lo animemos y contrarrestemos las mentiras del diablo al hablar la verdad de la Palabra de Dios a los demás.

En este capítulo consideramos las armas de la guerra espiritual que el Señor nos ha dado cuando cumplimos la Gran Comisión.

Reflexión

¿Qué tan a menudo debemos alentarnos los unos a los otros, según Hebreos 3:13? ¿De qué manera usted anima a otros?

La Oración: Un arma espiritual para ganar la guerra

La guerra espiritual es real. El mundo espiritual es real. Las dos principales tácticas del enemigo consisten en hacernos creer que él no existe, y en producir un énfasis exagerado en él. Algunos optan por creer que el diablo es un cuento de hadas —un tipo que trae puesto un traje rojo con orejas puntiagudas y cola. El hecho de que no podamos ver al diablo no significa que no sea real. No podemos ver las ondas de radio o la radioactividad nuclear pero son factores muy reales.

Otros culpan de todo a los demonios y al diablo. Enfatizan exageradamente su poder en lugar de enfatizar el poder del Señor. Debemos mantenernos enfocados en Jesús y no en Satanás. En vez de culpar de todo a los demonios, quizás haya un área en nuestras vidas que Dios quiera disciplinar, continuamente debemos batallar contra aquellas cosas que limitan la obra de Dios en nuestras vidas

¿Cómo combate la guerra un cristiano? Poniéndose la armadura de Dios para ocuparnos de nuestro conflicto espiritual con el maligno. Combatimos esta guerra espiritual por medio del poder del Espíritu Santo (Romanos 8:13). Pablo nos dice en Efesios 6:10-12 que nos pongamos nuestra armadura espiritual como lo hace un soldado, para que podamos oponernos a las estrategias de Satanás. «*Por último, fortalézcanse con el gran poder del señor. Pónganse toda la armadura de Dios para que puedan hacer frente a las artimañas del diablo. Porque nuestra lucha no es contra seres humanos, sino contra poderes, contra autoridades, contra potestades que dominan este mundo de tinieblas, contra fuerzas espirituales malignas en las regiones celestiales.*»

Nuestra lucha no es contra las personas, la verdadera guerra es contra los demonios del infierno y los ángeles de las tinieblas. Las únicas armas a las que ellos responden son armas espirituales. La oración es un arma espiritual en contra de los poderes de las tinieblas 2 Corintios 4:3-4 nos dice: «*Pero si nuestro evangelio está encubierto, lo está para los que se pierden. El Dios de este mundo ha cegado la mente de estos incrédulos, para que no vean el glorioso evangelio de Cristo...*»

Satanás ciega la mente de la gente que no cree. Los que no se someten a Jesús están bajo la autoridad de Satanás porque «encubre» sus ojos a la verdad del evangelio para estorbarlos a fin de que no crean en Jesucristo. Imagínese que va por una carretera y ve una señal que lo alerta que el puente se ha derrumbado. De inmediato usted sabe que debe tomar el desvío. Ahora imagine un conductor ebrio que ve la misma señal. Por tener el juicio menoscabado, quizás lea la señal, pero no comprende los peligros que esto implica, y posiblemente manejara hasta precipitarse al vacío, causando su destrucción. El estaba cegado a la verdad. Todas las personas que nos rodean y no ven esta señal van a ir al infierno. La Biblia aclara que podemos orar y atar los poderes de las tinieblas en el nombre de Jesús para que las personas vean la verdad. (Mateo 18:18 dice): «*Les aseguro que todo lo que ustedes aten en la tierra quedará atado en el cielo, y todo lo que desaten en la tierra quedará desatado en el cielo.*»

Jesús dice que podemos amarrar (atar espiritualmente) las fortalezas demoníacas que están en la vida de las personas. Hay poder en la oración. Cuando atamos estas fortalezas en el nombre de Jesús, las personas serán liberadas para escuchar el evangelio y responder al Señor Jesucristo.

Un hombre joven me dijo: «La única razón por la que soy cristiano es porque mi madre oró por mí.» Esta madre entendió los principios del reino de Dios. Tomemos en serio la oración por los que el Señor ha colocado en nuestras vidas, para que encuentren a Jesús. Podemos atar los espíritus cegadores que los engañan para que puedan entender y responder a las buenas nuevas de Jesucristo.

Reflexión

¿De que forma se opone a las estrategias de Satanás (Efesios 6:10-12)?

Día 3

La verdad lo mantiene bien cimentado

Vimos en Efesios 6:10-12 que antes de luchar con fortalezas demoníacas (principados y potestades) debemos ponernos la armadura de Dios. Los siguientes dos versículos mencionan la primera pieza de la armadura. «*Por lo tanto, póngase toda la armadura de Dios, para que cuando llegue el día malo puedan resistir hasta el fin con firmeza. Manténgase firmes, ceñidos con el cinturón de la verdad....*» (Efesios 6:13-14a).

Cuando el apóstol Pablo escribía esto estaba sentado en la celda de una prisión mirando a los soldados alrededor de él. Por eso pudo escribir desde una perspectiva espiritual sobre lo que vio en el reino natural. Pudo resistir con éxito en el día de su juicio. Es posible que algunos días sean muy fáciles para usted y otros se encuentre bajo el intenso ataque del diablo. Estos ataques suelen venir en forma de depresión, opresión, miedo o confusión. Cuando el «día malo» viene debemos aprender a pararnos como buenos soldados de Jesucristo. Si no nos paramos firmes seremos *noqueados*. Debemos estar «ceñidos con el cinturón de la verdad».

La Biblia nos dice que Jesucristo es el camino, la verdad y la vida (Juan 14:6). Cada una de las armas sujetadas firmemente a los soldados que custodiaban a Pablo en la celda de su prisión era sujetada por un cinturón. Ésta es la razón por la cual tenemos el cinturón de la verdad fuertemente ceñido. Edificamos nuestras vidas cristianas sobre la base de la Palabra de Dios y la verdad de Jesucristo.

Hable usted a otros sobre la verdad de la Palabra de Dios cada vez que tenga oportunidad. Cítese la Escritura a usted mismo y cítela a los demás. Recuerde: la verdad de Dios lo librará.

Reflexión

¿De qué manera el diablo intenta noquearlo y volverlo ineficaz en la batalla? ¿Cómo la Palabra de Dios lo mantiene estable?

Día 4

¿Qué cubre su corazón y sus pies?

Como soldados cristianos, nuestra armadura espiritual incluye un armamento completo. Efesios 6:14b-15 continúa nombrando más piezas espirituales de la armadura que nos debemos poner *«...protegidos por la coraza de justicia, y calzados con la disposición de proclamar el evangelio de la paz.»*

La justicia se refiere a nuestra *condición correcta con respecto a Dios,* la cual sólo viene por la fe en Jesucristo (Romanos 4:3-5). A veces nos vemos a nosotros mismos a través de nuestros propios errores. Sin embargo, cuando nos arrepentimos y venimos a Jesús, Dios siempre nos ve justos. Él ve a Su Hijo, el Señor Jesús, el cordero perfecto que fue inmolado. Cada vez que tengamos un problema el enemigo nos dirá que es probable que Dios nos castigue, o que algo esta mal con nosotros. Opongámonos al enemigo en el nombre de Jesús. Tenemos que saber que somos justos gracias a la fe en Jesucristo.

También debemos asegurarnos de estar calzados con la «disposición del evangelio de la paz». El Señor nos ha llamado a andar en paz con Dios y con todos los hombres. La Biblia nos dice en Santiago 3:18: «*En fin, el fruto de la justicia se siembra en paz para los que hacen la paz*». Podemos superar los obstáculos de la vida con más facilidad si intentamos vivir en paz con los demás. Si se quebranta la paz —sin importar de quién es la culpa— debemos ser pacificadores y reconciliarnos con nuestros hermanos y hermanas en Cristo. Si necesitamos ayuda, el Señor ha puesto a los ancianos de la iglesia local como mediadores para ayudar en este tipo de dificultades. Tenemos que estar dispuestos para declarar que el evangelio de Jesucristo trae paz con Dios y paz con el prójimo.

«Por lo tanto, si estás presentado tu ofrenda en el altar y allí recuerdas que tu hermano tiene algo contra ti, deja tu ofrenda allí delante del altar. Ve primero y reconcíliate con tu hermano; luego vuelve y presenta tu ofrenda.» (Mateo 5:23-24). *«Si es posible, y en cuanto dependa de ustedes, vivan en paz con todos.»* (Romanos 12:18).

El Señor nos pide que busquemos denodadamente la paz y luego confiemos en que Él hará el resto. Sólo Dios puede cambiar el corazón de las personas y hacerlos que se reconcilien.

Reflexión

¿Cómo se puede obtener la justicia? ¿Cómo puede ser usted un pacificador? Explique.

Día 5

Mantenga su escudo de la fe en el lugar apropiado

La pieza clave de la armadura de un soldado era el escudo. El escudo medía 61 por 122 centímetros, en la cual se paraba detrás durante la batalla. Era un arma extraordinaria porque se podía voltear en toda dirección para detener la flechas que era dirigida hacía él. «*Además de todo esto, tomen el escudo de la fe, con el cual pueden apagar todas las flechas encendidas del maligno.*» (Efesios 6:16).

Cuando usted y yo miramos nuestras circunstancias a veces podemos desanimarnos. Sin embargo, podemos protegernos con nuestro escudo de la fe y creer que la Palabra de Dios es verdadera y que sin importar nuestras circunstancias podemos salir victoriosos. Entre las flechas ardientes del enemigo talvez estén las flechas de la duda, la depresión, la condenación, el miedo y la confusión. Y la lista sigue. Es necesario conservar nuestros escudos espirituales, para que cuando el enemigo dispare flechas en nuestro camino, podamos responder con la fe. Recuerde, «*Así que la fe viene como resultado de oír el mensaje...*» (Romanos 10:17). Hablemos de las promesas de la Palabra de Dios y no permitamos que las flechas de fuego hagan un hueco en nuestra armadura espiritual al empezar a quemarla. Tenemos que apagarlas rápidamente.

Puesto que vivimos en una sociedad momentánea debemos aprender a vivir por fe. Quizás no obtengamos resultados de inmediato pero continuamos creyendo que la Palabra de Dios es verdad, aún en medio de circunstancias aparentemente insuperables. Dios es fiel. Podemos confiar en Él a medida que mantengamos nuestro escudo de la fe en alto.

Hace algunos años conocí a una mujer cuyo hijo se había apartado del camino de la fe. Mientras él estaba en rebelión, ella continuaba creyendo que Dios lo rescataría. Sabía que Dios le había dado una promesa en Isaías 59:21b: «*...Mi Espíritu que está sobre ti, y mis palabras que he puesto en tus labios no se apartarán más de ti, ni de tus hijos ni de sus descendientes...*» Esta madre optó por creer en la Palabra de Dios y mientras permanecía con su escudo de fe en alto, el Señor rescató a su hijo en un lugar donde se consideraba improbable que Dios le hablara. ¡En un concierto de *rock and roll*! En la actualidad él es pastor. ¡Recuerde vivimos por fe y no por vista!

Reflexión

¿Cómo nos defendemos de las «flechas flameantes» de Satanás?

Día 6

Su yelmo y su espada

Gran parte de la batalla que libra el cristiano está en la mente. Ningún cristiano, ni ningún soldado que está en batalla pelearían muy bien si no tuvieran esperanza de alcanzar la victoria. Tenemos que proteger nuestra cabeza con el yelmo de la salvación, porque la esperanza de ésta defenderá nuestra alma y la guardará de los ataques del enemigo. El yelmo de la salvación nos da esperanza, seguridad y protección continuas, sobre la base de las promesas de Dios. «*Tomen el casco de la salvación...*» (Efesios 6:17a).

Ser *salvo* no sólo significa ser libre de pecado y vivir eternamente con Dios. La salvación comprende *sanidad y liberación de las potestades de las tinieblas.* A menudo viajo a algunos países que no tienen la asistencia médica que tenemos en nuestra cultura occidental y quedo muy impresionado por la habilidad del pueblo de Dios para creer en los milagros que diariamente ocurren en esos lugares. Es imposible explicar cómo operan los milagros. Simplemente aceptamos por fe que Dios hace milagros. El yelmo de la salvación impide que seamos confundidos por las potestades de las tinieblas y esto nos ayuda a depender de la gran salvación y sanidad de Dios.

El Señor nos dice que nos ciñamos la pieza final de la armadura —la espada del Espíritu. La espada era la única pieza de la armadura de un soldado, que se usaba tanto en la ofensiva como en la defensiva de la batalla. Para un cristiano, la espada del Espíritu es la poderosa Palabra de Dios «*...y la espada del Espíritu, que es la palabra de Dios. Oren en el Espíritu en todo momento, con peticiones y ruegos. Manténganse alerta y perseveren en oración por todos los santos.*» (Efesios 6:17b-18).

Cuando nos armamos de la verdad de la Palabra de Dios, el Espíritu Santo que vive en nosotros nos ayuda a lidiar con las tentaciones que llegan a diario. No dependemos de nuestra sabiduría sino de la sabiduría del Señor. Cuando conocemos su Palabra podemos oponernos a las mentiras del diablo. Cuando atesoramos la Palabra de Dios en nuestros corazones (Salmos 119:11) podemos resistir al pecado.

La Biblia nos dice que las puertas del infierno no prevalecerán en contra de la iglesia de Jesucristo. Como cristianos debemos apoderarnos del territorio enemigo. Tomemos en serio la Palabra de Dios y confiésela, créala, vívala y comience a experimentarla en su vida. Para estar alerta y resistir con éxito, la Biblia dice en (Efesios 6:13) que debemos ponernos toda la armadura de Dios, la cual consta del cinturón de la verdad y la coraza de la justicia. Luego nos alistamos con el evangelio de la paz y nos ponemos el escudo de la fe. Además debemos usar el yelmo de la salvación y la espada del Espíritu. Todas estas prendas de la armadura son una protección que nos ayuda a orar de manera efectiva. El apóstol Pablo dice que debemos orar siempre y estar alerta cuando oramos por los santos. De esta manera nos llama a orar unos por otros. La guerra espiritual demanda una oración intensa. No es una opción, es una cuestión de vida o muerte.

Reflexión

¿De qué manera el yelmo de la salvación nos ayuda a pelear la batalla? ¿Por qué es la espada del Espíritu tan importante?

Día 7

¡Listo para entrar en acción!

Es una obligación orar los unos por los otros. La oración nos permite ganar la batalla. El apóstol Pablo pidió oración en Efesios 6:19-20 para testificar de Cristo con valentía. «*Oren también por mí para que, cuando hable, Dios me dé las palabras para dar a conocer con valor el ministerio del evangelio, por el cual soy embajador en cadenas. Oren para que lo proclame valerosamente, como debo hacerlo.*»

Dios quiere que seamos testigos valientes de Jesucristo, pero la valentía viene de nuestra constancia en la oración. Cuando oramos por nuestros hermanos de iglesias, por los grupos juveniles, comunidades, hogares y lugares de trabajo, experimentaremos la valentía del Señor para proclamar su palabra a nuestra generación. Una vez, cuando estaba en Escocia, me sentí impelido a hablar del Señor Jesús a un joven que conocí en la calle. Sabía que mi valentía para hablarle estaba respaldada por las oraciones de los que estaban intercediendo por mí.

Si el apóstol Pablo necesitaba que otros oraran por él, ¿cuánto más necesitamos nosotros orar los unos por los otros, para ser valientes? Sólo si somos personas de oración podemos cumplir el mandamiento de *La Gran Comisión*. Recuerde orar para que los misioneros sean valientes y resistan las dificultades de vivir en otras culturas. Cuando nos ponemos la armadura de Dios y oramos cada día, escucharemos a nuestro Padre celestial darnos órdenes desde el cielo. Luego experimentaremos que Jesús nos usa para hacer discípulos en nuestra generación.

Por experiencia puedo decir que la mayor parte de los fracasos espirituales suceden cuando los cristianos no mantienen su armadura espiritual en el lugar apropiado. Cuanto usted se levante en la mañana, declare que su armadura está en su lugar apropiado. Declare que se ha ceñido con el cinturón de la verdad. Que es justo gracias a la fe en Jesucristo; que la coraza está en el lugar correcto y tiene paz con Dios a través del Señor Jesucristo (Romanos 5:1) porque es justificado gracias a la fe. Usted perdona por completo a cualquier persona que lo haya herido, y busca denodadamente estar en paz con todos tanto como le sea posible (Romanos 12:18). Se ha puesto el escudo de la fe y no permitirá que los dardos del enemigo lo hieran. El yelmo de la salvación es un distintivo seguro. Usted sabe que ha nacido de nuevo y que Jesucristo ha cambiado su vida. Tome la Palabra de Dios valiente y agresivamente y confronte a las potestades de las tinieblas, en el nombre de Jesús., y finalmente ore como un soldado que se ha puesto adecuadamente la armadura de Dios. ¡Usted está listo para entrar en acción! El mundo que nos rodea está a la espera de que le declaremos la verdad que un día los hará libres.

Reflexión

Cuando vertemos nuestras vidas por los demás, ¿qué se nos promete en Lucas 6:38? ¿En Proverbios 11:25?

CAPÍTULO 3

Cómo evangelizamos a los perdidos y hacemos discípulos

Versículo clave para memorizar

«Vengan, síganme —les dijo Jesús— y los haré pescadores de hombres.»
Marcos 1:17

Día 1

El verdadero evangelismo

Con base en la *Gran Comisión*, Dios da prioridad mayor que la que nosotros le damos al evangelismo. ¿Por qué? Por que Dios en verdad ama a las personas. *«Porque tanto amó Dios al mundo...»* (Juan 3:16). Como cristianos, a menudo crecemos hacía adentro y miramos hacia nosotros mismos en vez de buscar otras maneras de ayudar a la gente. Dios no ha llamado a mirar hacia afuera. Dios ha puesto su corazón en las personas. El evangelismo es la manera como Dios comunica las buenas nuevas de Jesucristo a los demás.

Muchas veces los cristianos tenemos una comprensión tendenciosa de lo que es el evangelismo. Algunos piensan que evangelismo significa ir a tocar puertas y comunicar el evangelio. Aunque ésta pueda ser una manera efectiva de hablar de su fe, es probable que Dios lo haya llamado a usted para evangelizar de esta forma. Hay quienes piensan que el evangelismo consiste en organizar cruzadas, pero para la mayoría de los cristianos las cruzadas evangelistícas no es el tipo frecuente de evangelismo que hacen. Creo que para la mayoría de personas el evangelismo consiste en estar tan lleno de Jesús que adondequiera que vayan, descubren que las personas necesitan tener una relación con Jesús. Nuestra responsabilidad es contarles a las personas lo que Dios ha hecho en nuestras vidas y animarlas a que reciban las Buenas Nuevas de Jesucristo en sus vidas.

En la historia del *Buen Samaritano* (Lucas 10:33-37) se nos habla de que el Samaritano encontró a un hombre herido al lado del camino y lo ayudó, algunos líderes religiosos de su época pasaron al lado, sin tenderle una mano de ayuda. El Samaritano practicó los principios de Dios; al amar a la persona que Dios puso en su camino. Recuerde este mandato: *«...ama a tu prójimo como a ti mismo»* (Lucas 10:27).

Amar a Dios significa amar a otros. La compasión por los perdidos y por los que están en necesidad es una señal de que en realidad amamos a Dios. Después que Jesús relató la historia del *Buen Samaritano* interrogó a un líder religioso: *«¿Cuál de estos tres piensas que demostró ser el prójimo del que cayó en manos de los ladrones? —El que se compadeció de él— contestó el experto en la ley. —Anda entonces, y haz tú lo mismo— concluyó Jesús.»* (Lucas 10:36-37).

Debemos actuar siempre con misericordia. En el evangelio de Lucas, capítulo 15, Jesús relató tres historias sobre el amor hacía los que nos rodean. La primera fue la parábola de la oveja perdida. De 100 ovejas, una se perdió, y el pastor la buscó hasta encontrarla. La segunda parábola implicaba una moneda perdida. El dueño de la moneda la buscó todo el día y concentró todos sus esfuerzos en encontrarla. La tercera historia es la del hijo pródigo que tomó la mitad de la fortuna de su padre y abandonó la casa para hacer lo que él quería. La Biblia nos dice que su padre aguardaba por él y luego extendió su amor hacia él cuando regresó.

Usted puede ver que para Dios son prioritarias las personas que están heridas o perdidas. Jesús nos ha llamado a evangelizar a los que nos rodean, aun a los que no son amables, de modo que el pueda cumplir sus propósitos a través de nosotros. Jesús nos ha llamado a ser pescadores de hombres: *«Vengan, síganme —dijo Jesús— y los haré pescadores de hombres»* (Marcos 1:17). Aprendamos de manera conjunta cómo podemos «pescar hombres»y guiarlos a la fe en Jesucristo.

Reflexión

¿Qué significa el evangelismo para usted? ¿Cómo evangelizó Jesús?

Día 2

El principio del *oikos*

¿Cómo guió el Señor Jesús a la iglesia primitiva? Algunos estudiosos hablan del principio *«oikos»*. Esta es una palabra griega que significa *casa* o *familia.* Nuestro *oikos* incluye, todas las personas con las cuales me relaciono diariamente. Oikos se refiere al entorno personal de uno, o a las personas con las que estamos relacionados.

Las Escrituras nos dicen en Hechos 10 que había un hombre llamado Cornelio —un hombre devoto que junto con los de su casa temía a Dios, daba generosamente a los pobres y oraba a Dios con regularidad. Un día Cornelio recibió una visitación sobrenatural de parte de Dios a través de una visión. Dios le dijo que enviara mensajeros y que fuera a buscar al apóstol Pedro, quien le daría un mensaje suyo. Pedro vino a encontrarse con Cornelio quien... *«estaba esperándolo con los parientes y amigos íntimos que había reunido.»* (Hechos 10:24). Cornelio invitó a su oikos, (parientes y amigos) , a una reunión con pedro y muchas de estas personas conocieron a Jesucristo.

Otra historia que nos muestra la manera como Dios usaba el *oikos* para atraer personas hacía Él. se nos relata en Hechos, capítulo 16. Pablo y Silas estaban en prisión cuando un terremoto abrió las puertas de la cárcel. El carcelero se iba a suicidar porque pensó que los prisioneros habían escapado y a él se le consideraría responsable. Pablo le dijo que se abstuviera de hacerse daño porque todos los prisioneros estaban en sus celdas. Cuando Pablo compartió la Palabra de Dios con el carcelero, todo su *oikos* (su casa) conoció al Señor Jesucristo.

En la vida de todos nosotros hay personas que Dios ha colocado dentro de nuestro «oikos» para que les hablemos del evangelio efectiva y fácilmente. No importa en que parte del mundo vivamos. La estrategia del *oikos* o la de desarrollar relaciones es la manera más natural de cumplir la Gran Comisión. Las personas quieren la verdad y están a la espera de cristianos confiables que se las cuenten.

Quizás quiera usted hacer una lista de los miembros de su *oikos* en una hoja de papel. Ore y pídale a Dios que le muestre dos o tres personas necesitadas en las que usted está más interesado y empiece a orar por ellas. Si no son salvas, su tarea será evangelizarlas. Si están teniendo luchas en su vida cristiana, tal vez Dios lo llame a involucrase en el discipulado convirtiéndose en su padre o madre espiritual.

Las Escrituras nos dicen en el libro de Hechos que se *añadían* nuevos creyentes a la iglesia —a diario— a medida que iban siendo salvos (Hechos 2:47). Sin embargo, más adelante vemos que el Señor lleva a la iglesia a dar otro paso y el pueblo de Dios se incremento en número. *«Entonces las iglesias tenían paz por toda Judea, Galilea y Samaria; y eran edificadas, andando en el temor del Señor, y se acrecentaban fortalecidas por el Espíritu Santo.»* (Hechos 9:31 RV).

La voluntad de Dios para nosotros es que nos *multipliquemos*. Para multiplicarnos es necesario que tengamos nuestros ojos fuera de nosotros mismos y evangelicemos a los que necesitan experimentar la vida y el poder de Jesucristo. Veremos que el reino de Dios se expande y que se acelera nuestro crecimiento espiritual. El Señor Jesús paso su tiempo en la tierra, haciendo dos cosas: habló con Dios acerca de las personas que le preocupaban y también habló a mucha gente acerca de Dios. Él nos ha llamado a hacer lo mismo.

Reflexión

¿Qué significa «oikos»? Enumere las personas que pertenecen a su oikos. ¿Cómo trabaja usted por cada uno de ellas?

Día 3

Tipos de personas que hay en su *oikos*

Hay varios tipos de personas en nuestro *oikos* o entorno personal. Antes que nada, están los miembros de su familia y sus parientes. Su tío Juan y su tía María, todos son parte de su *oikos* aunque vivan a gran distancia. Si usted mantiene un contacto regular con ellos, son parte de su *oikos*. En segundo lugar, los que tienen intereses en común con usted. Quizás practiquen algún deporte con usted o tengan un común interés por las computadoras, o por la costura... y la lista continúa. En tercer lugar, los que viven dentro de su ubicación geográfica son parte de su *oikos* —desde luego que entre esos están sus vecinos.

En una tercera categoría están los que tienen su misma vocación —sus empleados—. La cuarta categoría de personas que son parte de su *oikos* está conformada por los que usted frecuenta como su dentista, su médico familiar, el mecánico de su auto, los vendedores de comida, las autoridades de la escuela, los compañeros de clase, y así sucesivamente. La gente de su grupo *oiko* será mucho más receptiva al evangelio porque confían en usted, porque ha desarrollado una buena relación con ellos.

Cuando Leví invitó a cenar al Señor Jesús convidó a los socios comerciales de su *oikos*. Lucas 5:29 nos cuenta: «*Luego Leví le ofreció a Jesús un gran banquete en su casa, y había allí un grupo numeroso de recaudadores de impuestos y otras personas que estaban comiendo con ellos.*» Puesto que Leví tenía una buena relación con ellos, estos recaudadores de impuestos vinieron a escuchar con gusto lo que Jesús iba a decir. Jesús tuvo la oportunidad de hablar con el *oikos* de Levi y les presento la esperanza que Él ofrecía. Cuando invitamos a alguien a nuestro *oikos,* el Señor nos da la oportunidad de presentarle la verdad que lo hará libre.

Natanael era miembro del *oikos* de Felipe; vivían en la misma ciudad. Gracias a su amistad, Felipe llevó a Natanael a la fe en

Jesucristo. La Biblia nos dice en Juan1:45 que «...*Felipe buscó a Natanael y le dijo: Hemos encontrado a Jesús de Nazaret, el hijo de José, aquel de quien escribió Moisés en la ley, y de quien escribieron los profetas...»*

Las Escrituras están llenas de ejemplos de personas que llagaron a conocer a Jesús gracias a alguien con quien tenían una buena relación. Hace algunos años un líder de nuestra iglesia recibió una llamada telefónica de una mujer que asistía a su grupo de estudio bíblico. «¿Tienes agua bendita en tu casa?» —le preguntó. Este líder no había sido criado en la tradición católica romana y no sabía qué decir. Cuando le pidió mayores detalles, la mujer le habló acerca de su preocupación con respecto a su hija y su pareja... Cosas extrañas estaban sucediendo en la casa de ellos. Un objeto había saltado fuera del horno y otras cosas inexplicables y sobrenaturales estaban sucediendo en su casa. «¿Puedo ir a ver la casa de tu hija y su pareja para orar?» —preguntó el líder.

«Oh sí», —replicó la mujer— y quiero estar allí cuando vengas. El líder y su esposa fueron a recorrer la casa y oraron. Después de un rato hablaron de lo que dice la Palabra de Dios y la joven pareja decidió entregar su vida al Señor Jesucristo. Pocos días después expresaron el deseo de obedecer al Señor y se casaron. Los incidentes demoníacos cesaron cuando la pareja fue liberada espiritualmente. Todo sucedió gracias a la relación del *oikos* de un grupo pequeño que incluyó las relaciones familiares. El evangelio de *oikos* tiene una forma de multiplicarse hacia fuera..

Reflexión

Explique la manera como Dios ha liberado su fe.

Día 4

Pase un tiempo trabajando como mentor

Jesucristo nos llamó a hacer discípulos. Podemos encontrar la clave para hacer discípulos en Marcos 3:14-15a: «*Designó a doce...para que lo acompañaran y para enviarlos a predicar y ejercer autoridad para expulsar demonios...»* Jesús estaba buscando doce hombres con los cuales pudiera pasar un tiempo y enseñarles los principios del reino de Dios. Quería que sus discípulos experimentaran los principios de Dios a medida que su propia vida les servía de modelo para estas verdades. El discipulado involucra este tipo de capacitación. Cuando eres mentor de alguien debes servirle de ejemplo.

Jesús acompaño a sus discípulos un tiempo, capacitándolos para que a u vez ellos pudieran salir a ministrar. Discipular a otros es cuidarlos como amigos y capacitarlos para que crezcan en su vida cristiana. Hacer discípulos, no es decir lo que deben hacer, es literalmente rendir nuestras vidas por otros y tomarnos el tiempo necesario para verlos crecer espiritualmente. Debemos orar, animar y ayudar a otros a centrarse en la Palabra de Dios para que vivan sus vidas en Cristo. El discipulado bíblico me trae a la memoria la manera cómo un entrenador presta sus servicios a un equipo deportivo. La responsabilidad del entrenador es *ser mentor* a sus jugadores para jugar lo mejor posible. El extendernos y ayudar a los demás, nos ayudará a no estancarnos hacía adentro, al igual que un uñero si no es sacado afuera, a la larga producirá dolor. Dios nos ha llamado a extendernos a otros y al mismo tiempo capacitarlos.

El Mar Muerto es un mar «estancado», es mundialmente renombrado porque sus aguas no corren hacia fuera, sino hacía adentro de éste. Hay vida en un río, pero el sentido de la muerte perdura en un pozo estancado. Cuando nos damos a los demás, el poder y la vida de Dios fluirán libremente a través de nuestras vidas.

Reflexión

Enumere algunas maneras prácticas en que podemos ponernos a disposición para capacitar discípulos.

Día 5

Aprenda y enseñe con el ejemplo

Me encanta tocar la guitarra. He tenido el privilegio de enseñar a muchas personas a tocar la guitarra durante los últimos 25 años. De hecho, muchos de mis estudiantes ahora tocan mejor que yo. Si yo le enseñara a usted a tocar este instrumento me sentaría mucho más cerca de usted y de su guitarra. Le enseñaría cómo poner los dedos en los trastes y cómo coger la uña al empezar a rasgar las cuerdas.

El mismo principio se aplica al reino de Dios. Somos llamados a capacitar a otros sobre cómo llegar a ser discípulos de Jesucristo. Quizás usted diga: «Pero Larry soy cristiano hace menos de un año.» ¡Qué bien! Entonces puede empezar a mostrar a los demás lo que usted ha aprendido durante el año de su conversión. Dios quiere que de inmediato comencemos a testificar delante de los que nos rodean y ayudarlos a entrar en el reino. La buena noticia es que no tenemos que conocer todas las respuestas acerca de la Biblia. Dios es el único que tiene todas las respuestas. Con libertad podemos hablarles a los demás que no tenemos todas las respuestas, pero nuestro Dios sí las tiene. De hecho, la Biblia nos dice en Deuteronomio 29:29: «*Lo secreto le pertenece al Señor nuestro Dios, pero lo revelado nos pertenece a nosotros y a nuestros hijos para siempre, para que obedezcamos todas las palabras de esta ley.*»

La Biblia nos aclara que somos responsables de obrar en aquellas cosas que nos han sido reveladas por el Señor. Aunque no tenemos las respuestas para algunos de los problemas de la vida, el Señor traerá a nuestras vidas padres o madres espirituales que serán usados por el Espíritu Santo para guiarnos. Luego el señor le ayudara hacer lo mismo. Cuando trabajamos juntos podemos ver que el reino de Dios va edificando docenas y cientos de vidas en nuestras comunidades y son cambiadas a través de Jesucristo.

Imagine por un momento que todos los cristianos que usted conoce capacitan a dos o tres más en las verdades básicas y experiencias de su andar en Jesús. De hecho, si usted y yo discipuláramos a otro creyente cada seis meses y ellos hicieran lo mismo, ¡en menos de 30 años la población entera del mundo podría ser ganada para Cristo!

Reflexión

¿De qué somos responsables, según Deuteronomio 29:29? ¿Cómo transmitimos lo que hemos aprendido a otros?

Día 6

Hospitalidad en las casas

¿Sabe usted que una de las maneras más poderosas para involucrarnos en el discipulado y el evangelismo es a través de la hospitalidad? La hospitalidad es un principio bíblico que significa compartir de buena gana la comida, el refugio y el refrigerio espiritual con los que Dios trae a nuestras vidas. 1 Pedro 4:9 nos dice: «*Practiquen la hospitalidad entre ustedes sin quejarse.*»

El Señor quiere que usemos nuestros hogares para edificar su iglesia. Nuestros hogares se usan como lugares donde las personas pueden ser alentadas y llenas del Espíritu Santo. La presencia de Dios está en su hogar porque Cristo vive en usted. Puede estar seguro de que a todo lugar a donde vaya, la presencia de Dios estará allí —en su casa, en el trabajo, en el restaurante local, o en la tienda. El reino de Dios puede edificarse cuando tomamos el desayuno con otra persona, reímos juntas, lloramos juntas, o simplemente nos divertimos, al compartir momentos de la vida. El principio de la hospitalidad puede ser una bendición cuando hacemos discípulos.

El libro de Los Hechos comienza y termina en una casa. Las casas son muy importantes para la obra del reino de Dios. Al Dr. Cho, —pastor de la iglesia más grande del mundo ubicada en Seúl, Corea— se le hizo esta pregunta: «¿En dónde se encuentra Dios?» Su respuesta fue: «Dios se encuentra en cada uno de nosotros.» Dicho de otra manera, Dios vive dentro de usted y dentro de mí. Dondequiera que usted viva, dondequiera que usted esté, allí está Dios. Hay muchas personas que no sentirán la libertad de ir a una iglesia, pero si conversaría con usted si la invita a cenar o jugar juegos de mesa en su casa.

Romanos 12:13 nos dice que debemos «practicar la hospitalidad». Quizás usted piense: «Mi casa no es lo suficientemente bonita como para invitar a ciertas personas». Tenga la seguridad de que cuando esas personas vengan a su casa sentirán la presencia de Dios porque Él vive en usted. No les importara la apariencia de su casa. Cuando mi esposa LaVerne y yo estábamos recién casados ofrecíamos hospitalidad en nuestra pequeña casa móvil. Había personas que entraban y se quedaban allí a pasar la noche. Comían y oraban con nosotros y no les importaba que fuera pequeña. Espere que el Señor use su casa para edificar su reino sin importar de qué tamaño es.

Reflexión

¿Qué significa hospitalidad para usted? ¿Cómo podemos brindar hospitalidad, según 1 Pedro 4:9?

Día 7

Cómo se siembran semillas espirituales en la vida de otras personas

Orar, evangelizar a los perdidos y hacer discípulos, es como sembrar semillas en un huerto. Cuando sembramos semillas espirituales en la vida de otras personas a través de la oración, esperamos tener una abundante cosecha. Sembramos estas semillas por fe. Si voy a mi huerto y desentierro la semilla porque pienso que no está creciendo, nunca tendré una cosecha. De la misma manera sembramos la verdad de la Palabra de Dios en la vida de las personas, por fe y sabemos que no importa lo que veamos hoy, tendremos la cosecha en su debido tiempo. Estamos seguros porque hemos sembrado semillas.

Las Escrituras nos dicen en Marcos, capítulo 4, que cuando sembramos la semilla de la Palabra de Dios, varias cosas pueden suceder. Puede suceder que algunas personas escuchen la Palabra de Dios pero no respondan porque de inmediato viene Satanás y les quita la palabra (v. 15). En esos momentos deberíamos atar los poderes demoníacos para que puedan escuchar y aceptar la palabra de Dios.

Las Escrituras también nos dicen que algunas personas escucharán la Palabra de Dios y de inmediato la reciben con alegría. Sin embargo, sus raíces son poco profundas y sólo duran por un tiempo. Cuando las personas pasan por tiempos difíciles, de inmediato tambalean (v. 16).

Quizás otros escuchan la Palabra de Dios pero permiten que las cosas de este mundo impidan su compromiso con Cristo. «*Otros son como lo sembrado entre espinos:oyen la palabra, pero las preocupaciones de esta vida, el engaño de las riquezas y muchos otros malos deseos entran hasta ahogar la palabra, de modo que ésta no llega a dar fruto.*» (Marcos 4:18-19). Debido a las preocupaciones de esta vida, estas personas encuentran que la Palabra de Dios es sofocada en sus vidas. Si sembramos semillas de aliento en sus vidas y oramos por ellas, entonces podremos estorbar las espinas espirituales que ahogan la palabra de Dios. Estas personas necesitan una ayuda *extra* durante este tiempo.

¿Sabe usted que algunas variedades de árboles, cuando recién se plantan necesitan una estaca clavada en la tierra cerca del siguiente árbol? Entre la estaca y el árbol se tiende y ata una cuerda para apoyar al que está creciendo. Este procedimiento se usa hasta cuando el árbol puede hacerse grande y fuerte como para sustentarse por sí mismo. Dios nos ha llamado a usted y a mí a ser «estacas» de las personas que necesitan estabilizar su vida, hasta que lo puedan hacer solas.

Finalmente están los que escuchan la Palabra de Dios, creen y perseveran. Llevan fruto según Marcos 4:20:«*Pero otros son como lo sembrado en buen terreno: oyen la palabra, la aceptan y producen una cosecha que rinde el treinta, el sesenta y hasta el ciento por uno.»*

Puesto que el Espíritu Santo, a través de nosotros, vierte Su Palabra en la vida de las personas, vamos a tener una gran cosecha de personas que vienen a Jesucristo. Algún día vamos a pararnos delante del Señor y cientos de multitudes nos acompañarán. Ellas son el resultado de las semillas que se sembraron y multiplicaron por la gracia de Dios.

¿Alguna vez ha escuchado mencionar a Mordecai Ham? Muy pocas personas han escuchado de él, y sin embargo ha tenido un efecto profundo en muchas naciones del mundo. Cuando Mordecai estaba predicando en una reunión de avivamiento en una carpa, un hombre vino una noche y entregó su vida a Jesús. El nombre de ese hombre es Billy Graham. Todas las personas que han llegado a conocer a Cristo a través del ministerio de Billy Graham son el resultado de la obediencia de un hombre llamado Mordecai Ham.

D. L. Moody, hace 100 años, fue responsable de liderar más de un millón de personas para que encontraran al señor Jesucristo. Sin embargo, el hombre que le comunicó el evangelio al Sr. Moody era una persona común y corriente que enseñaba a los niños pequeños en una clase de Escuela Dominical. La Biblia dice que la semilla de mostaza es la más pequeña de todas, pero cuando crece se convierte en un árbol majestuoso (Mateo 13:31-32). Cuando somos obedientes a Dios en las «pequeñas áreas de nuestra vida» el Señor promete que habrá una gran cosecha espiritual.

La Gran Comisión consiste simplemente sembrar semillas espirituales. La buen semilla espiritual se siembra a través de la oración, de dar aliento y comunicar la Palabra de Dios a otros. Cuando continuamos sembrando en obediencia, la semilla fructificará. El proceso de multiplicación continuará sucesivamente. Los cristianos saludables son los que oran, y dan lo que Dios trae a sus vidas. Levantémonos en fe de manera conjunta y trabajemos con Jesús para cumplir la Gran Comisión.

Reflexión

¿Cómo siembra usted semillas espirituales? ¿Qué tiene que ver la fe con plantar semillas en la vida de otros?

CAPÍTULO 4

Usted está llamado a ser un padre o una madre espiritual

Versículo clave para memorizar

«En resumidas cuentas, ¿cuál es nuestra esperanza, alegría o motivo de orgullo delante de nuestro Señor Jesús para cuando él venga? ¿Quién más sino ustedes? Sí, ustedes son nuestro orgullo y alegría.»
1 Tesalonicenses 2:19-20

Día 1

La necesidad de padres y madres espirituales

El Señor Jesús invirtió tres años de su ministerio terrenal en la vida de doce hombres. Fue un tiempo valioso que pasó siendo *padre de sus hijos espirituales*. Durante este tiempo de mentor preparó y equipó a sus discípulos «para ir a todo el mundo» y cumplir la Gran Comisión.

De una manera breve introdujimos el concepto de «paternidad y maternidad espiritual» anteriormente en este libro. Es cierto que el concepto de «discipulado» se parece al de «paternidad» por cuanto involucra a unas personas que son enseñadas por otras mayores. Pero el concepto de paternidad espiritual tiene un alcance mucho más amplio. La paternidad espiritual tiene la intención de desarrollar y alentar a andar en el camino a otros para convertirlos en padres y madres espirituales. El padre o madre espiritual son mentores y capacitan a otro impartiendo su herencia cristiana a los cristianos jóvenes.

Los cristianos nuevos—recién convertidos—desesperadamente necesitan padres o madres espirituales que los nutran y los animen en su andar espiritual. Un hombre que sirvió como pastor en mi iglesia durante largo tiempo me dijo que cuando recibió a Cristo estaba apenas en sus veinte años y entonces comenzó a recibir la protección de un padre espiritual. Un «padre espiritual» de 77 años lo tomó bajo sus alas y lo alentó. Eso fue lo que hizo la diferencia en la madurez espiritual de este futuro pastor.

El apóstol Pablo le dijo a la iglesia de los corintios que no deberían descuidar la necesidad de invertir en la vida de otros. Dijo que tenían muchos tutores o maestros en la iglesia pero no muchos *padres o madres espirituales* dispuestos a invertir tiempo nutriendo a los nuevos creyentes. «*No les escribo esto para avergonzarlos sino para amonestarlos, como a hijos míos amados. De hecho, aunque tuvieran ustedes miles de tutores en Cristo, padres sí que no tienen muchos...*» (1 Corintios 4:14-15). Esos cristianos eran inmaduros porque les faltaron verdaderos padres que le dieran identidad, instrucción y nutrición adecuada. Necesitaban padres y madres espirituales que estén dispuestos a invertir su tiempo.

A veces los nuevos creyentes no logran su pleno potencial en Dios porque nunca tuvieron unos padres espirituales. Los verdaderos padres espirituales se preocupan sinceramente por el bienestar y crecimiento de sus hijos espirituales.

Reflexión

¿Por qué eran inmaduros los cristianos en 1 Corintios 4:14-15? ¿Siente usted la necesidad de tener un padre o una madre espiritual que le equipe para «ir a todas las naciones»? ¿Está usted dispuesto a ser un padre o una madre espiritual? ¿Cómo? ¿Cuándo?

Día 2

Dios quiere «que el corazón de los padres se vuelva a sus hijos»

¿Por qué es tan importante educar padres que estén dispuestos a nutrir hijos espirituales y ayudarlos a crecer? Porque esperamos el cumplimiento de la promesa de Dios para los últimos días «*...hará volver el corazón de los padres hacia los hijos, y el corazón de los hijos hacia los padres...*» (Malaquías 4:6 RV).

El Señor quiere restaurar la armonía entre padres e hijos —tanto de los naturales como de los espirituales— de modo que los padres puedan impartir con libertad su herencia a la siguiente generación. Quiere que los padres y madres espirituales asuman sus responsabilidades y deberes a fin de capacitar a sus hijos para que no caminen torpemente en la vida. Es necesario que los niños tengan padres que les proporcionen un carácter cristiano, al decirles, que son valiosos y que además son el mejor regalo de Dios. Los padres tienen que poner expectativas cristianas en el corazón de sus hijos para que crean en sí mismos.

Pablo dice en el versículo 17 de la Primera Carta a los Corintios 4 que va a enviar a Timoteo a la iglesia de Corinto porque «*Él les recordará mi manera de comportarme en Cristo Jesús.*» Como padre espiritual, Pablo capacitó a Timoteo para que él también lo fuera. En ese momento Timoteo estaba listo para impartir *su* paternidad espiritual a la iglesia de Corinto. Los creyentes tienen que ver que la paternidad y maternidad espiritual les sirva de modelo para que puedan ser equipados y pasar la herencia a la siguiente generación de creyentes. Pablo capacitó a Timoteo, su hijo espiritual, y ahora Timoteo hacía lo mismo. Con este ejemplo, pronto él estaría produciendo sus propios hijos e hijas espirituales. Este tipo de relación que al mismo tiempo es una inversión espiritual podría continuar multiplicándose a medida que los creyentes maduros salen al mundo para extender el evangelio.

Reflexión

¿Por qué es importante que los padres espirituales asuman responsabilidades y deberes y capaciten a sus hijos? ¿Qué sucede cuando los hijos e hijas espirituales tienen como tutores a padres espirituales y éstos los equipan?

Día 3

Los niños espirituales pasan por etapas de crecimiento

Según la Biblia, la vida nos va presentando diferentes etapas en las cuales nos comportamos como niños, jóvenes y padres. En cada etapa actuamos de cierta manera y cumplimos distintas tareas. Santiago explica las tres etapas espirituales en 1 Juan 2:12-14. *«Les escribo a ustedes, queridos hijos, porque sus pecados han sido perdonados por el nombre de Cristo. Les escribo a ustedes, padres, porque han conocido al que es desde el principio. Les escribo a ustedes, jóvenes, porque han vencido al maligno. Les he escrito a ustedes, queridos hijos, porque han conocido al Padre. Les he escrito a ustedes, padres, porque han conocido al que es desde el principio. Les he escrito a ustedes, jóvenes, porque son fuertes, y la palabra de Dios permanece en ustedes, y han vencido al maligno.»*

Llegar a ejercer la paternidad espiritual es un clamor del corazón de Dios. Puesto que la paternidad es algo tan decisivo para el orden divino, Dios estableció un fundamento natural de capacitación que consta de «las etapas del crecimiento». Los cristianos bebés —recién convertidos— crecen a medida que superan cada una de las etapas de la vida cristiana. Asegurémonos de estar superando cada una de estas etapas. Sólo entonces pueden recibir el corazón y la revelación para llegar a ser *padre o madre espiritual.*

Nuestras etapas como bebés en Cristo, jóvenes, y padres y madres espirituales nada tienen que ver con nuestra edad cronológica, sino que tienen que ver con la manera cómo realizamos progresos hacia la madurez espiritual con el tiempo. Se espera que los niños crezcan. Sólo entonces pueden convertirse en padres y madres. Si no damos los pasos requeridos para convertirnos en padres espirituales, en caso contrario seguimos siendo bebés espirituales —

espiritualmente inmaduros y con falta de destrezas para ejercer la paternidad espiritual. Es triste decirlo, pero muchas veces no se dan las condiciones en las iglesias y sistemas eclesiásticos para que los creyentes se desarrollen en su vida cristiana. Esta es una responsabilidad de la iglesia.

La restauración del cristiano neo-testamentario sucede cuando la gente se reúne en grupos pequeños. Dios les proporciona un ambiente ideal para llegar a ser padres espirituales. A cada persona le da la oportunidad de «realizar la obra ministerial» y conectarse en una relación vital los unos con los otros. Gracias a la presentación e impartición de modelos, la reproducción espiritual sucede de manera natural.

El propósito de Dios es traer a los nuevos creyentes hacia la paternidad y la maternidad espiritual. El apóstol Pablo hizo de esto su preocupación a fin de dar las instrucciones adecuadas: *«....y enseñando con toda sabiduría a todos los seres humanos, para presentarlos a todos perfectos en él.»* (Colosenses 1:28). El llamado del Señor no ha cambiado de destinatario. Todo creyente, después de ser equipado puede convertirse en padre espiritual. Mientras tanto, tenemos que superar las etapas de crecimiento. Consideremos cada una de estas etapas en los días 4 y 5.

Reflexión

¿Cuáles son las etapas de crecimiento que un nuevo cristiano pasa para que se convierta en un padre o madre espiritual? ¿Qué sucede si no logramos pasar por estas etapas?

Día 4

Cuando pasamos de niños a jóvenes espirituales

Los bebés espirituales: son maravillosos en el cuerpo de Cristo. Según 1 Juan 2:12, son hijos, *«porque sus pecados han sido perdonados.»* Este perdón los pone en comunión con Dios y con los demás creyentes. Los niños espirituales o nuevos creyentes están conscientes de lo que pueden recibir de su Salvador. Con libertad le piden al Padre cuando tienen una necesidad. ¿Alguna vez ha notado la manera en que los nuevos creyentes hacen oraciones que desde el punto teológico parecen erróneas? Sin embargo, Dios responde a casi todas las oraciones del nuevo creyente. El Padre está presto a cuidar a sus pequeños.

El enfoque de un nuevo creyente, es el perdón de sus pecados, llegar al cielo y llegar a conocer al Padre celestial. Al igual que los bebés naturales, los bebés espirituales conocen a su Padre, aunque no es necesariamente un conocimiento cabal de Dios. Un nuevo creyente actuará como un niño natural con la inmadurez de Marcos, al que lo caracterizaba la inestabilidad y credulidad. Por eso necesitan afirmación y cuidados constantes. Aunque a menudo hacen cosas inesperadas porque están en un proceso de aprendizaje de conocer a Jesús, sus padres espirituales estan felices y pasan mucho tiempo extra con ellos a fin de guiarlos en la dirección correcta.

Pero, ¿qué sucede cuando los bebés espirituales no crecen? No sólo los nuevos creyentes son bebes espirituales en la iglesia actualmente. A muchos cristianos mayores les falta madurez espiritual. Son «adultos en cuanto a la edad» pero son «bebés en cuanto a su crecimiento espiritual». Quizás tengan 20, 30, 40 o 50 años de edad y sean creyente de años, pero no han madurado espiritualmente. Viven estilos de vida egocéntricos. Se quejan y se enojan por tonterías, les dan pataletas cuando las cosas no salen como quieren. Algunos no aceptan que Dios los ama por lo que son. Otros tal vez se sumerjan en la auto-compasión cuando fracasan. En nuestras iglesias hay muchos bebés espirituales que desesperadamente necesitan crecer y avanzar a la siguiente etapa para convertirse en jóvenes.

Los jóvenes y las jóvenes espirituales ya no necesitan ser alimentados con cuchara. Según (1 Juan 2:14), «*...y la palabra de Dios permanece en ustedes y han vencido al enemigo.*» No tienen necesidad de correr hacía los demás hermanos para que los cuiden como bebés porque han aprendido a aplicar la Palabra a sus vidas. Cuando el diablo los tienta, saben qué deben hacer para superarlo. ¡Usan la Palabra de Dios efectiva y poderosamente! A los jóvenes y las jóvenes espirituales se les debe alentar como dice (1 Timoteo 4:12). Han aprendido a usar el poder de la disciplina espiritual, de la oración y el estudio de la Palabra. Ahora son conscientes de lo que pueden hacer.

Por otro lado, las tentaciones de los jóvenes espirituales pueden ser una trampa para los que no han desarrollado todavía un sentido de lo que esta bien y lo que esta mal. A los jóvenes se les advierte que huyan de sus pasiones juveniles que podrían llevarlos al escándalo. (2 Timoteo 2:22). A veces los jóvenes que no han alcanzado madurez a veces se vuelven arrogantes y dogmáticos. Después de asistir a la última conferencia o después de leer un libro reciente, creen tener todas las respuestas. Pero todavía necesitan ser moderados por los padres para llegar a experimentar del gozo de ser padres y la impartición de disciplina. De nuevo les repito: ¡Llegar a ser un padre espiritual no tiene nada que ver con la edad cronológica sino con la edad espiritual!

Reflexión
¿Cuáles son algunas de las características de los niños espirituales? ¿De los jóvenes y las jóvenes espirituales?

Día 5

Definición de padres y madres espirituales

¿Cuándo llegan los jóvenes y las jóvenes espirituales a ser padres y madres espirituales? Sólo hay una manera: ¡cuando tengan hijos! Una persona puede convertirse en padre espiritual por nacimiento natural (al ser padre de alguien que usted personalmente ha llevado a Cristo) o por adopción (al ser padre de alguien ya que es creyente pero que necesita un mentor). Pabló llevó personalmente a Onésimo a Cristo como su hijo natural (Filemón 10). Timoteo fue el hijo espiritual de Pablo, pero por «adopción» espiritual. Timoteo había llegado a Cristo gracias a la influencia de su madre y su abuela (Hechos 16).

Padres y madres espirituales son aquellos creyentes que han madurado en su andar cristiano; se les llama *padres* según lo que dice en (1 Juan 2:13). «*Les escribo a ustedes, padres, porque han conocido al que es desde el principio...*» Esto implica un conocimiento cabal y profundo del Señor Jesús a través del conocimiento de su Palabra. También implica tener un profundo sentido del conocimiento de Él al tener pasión por Jesús.

Los cristianos maduros se dan cuenta de su llamado a ser como Jesús; cuando entienden lo que demanda ser un padre espiritual y están dispuestos a serlo. Uno de los grandes catalizadores de la madurez como cristianos es llegar a ser un padre espiritual. Aunque algunos no se sienten listos para ser padres, cuando dan el paso de fe y recurren al consejo de su papá y mamá espirituales, tienen un gran éxito y satisfacción.

A los padres y madres espirituales se les puede llamar *mentores, instructores o entrenadores* porque están en condiciones de ayudar a los hijos e hijas a superar los obstáculos de su jornada espiritual. Un entrenador es alguien que quiere verlo ganar y le dice como hacerlo

Enunciada de una manera simple, mi definición dice: ***Un padre o madre espiritual ayuda al hijo o hija espiritual a alcanzar el potencial que Dios le ha dado.***

Con un padre espiritual maduro a su lado, los hijos y las hijas crecerán fuertes y aprenderán rápida y naturalmente con el ejemplo. El padre enseña, capacita, da buen ejemplo, y proporciona un modelo de los roles. Los padres espirituales hacen que los niños tomen conciencia de sus actitudes y conductas que necesitan cambios en sus vidas. Ayudan a los nuevos creyentes a considerar con honestidad sus vidas y a hacer ajustes para que sus acciones y comportamiento puedan cambiar.

Reflexión

¿Cómo llegan a ser padres los jóvenes y las jóvenes espirituales? Dé una definición de un padre o madre espiritual.

Día 6

La herencia que tenemos como hijos espirituales

Sin importar nuestra experiencia —sea que hayamos tenido o no un padre o madre espiritual —podemos llegar a ser padres o madres espirituales de alguien que Dios ha colocado en nuestras vidas. Todo creyente puede hacer la decisión de colaborar con Jesús y hacer discípulos, como padres espirituales de alguien que necesita ayuda para crecer en el Señor.

¿Cómo empezamos? Los cristianos no «hablan de su fe» al azar. Primero las personas se edifican juntas, cada una hace su trabajo como equipo para cumplir la Gran Comisión. Dios coloca personas alrededor nuestro y quiere que les evangelicemos y comprometemos a capacitarlos, conforme a la semejanza de Jesús; ellos a su vez como nuevos creyentes que crecen también empezarán a hacer discípulos siguiendo el ejemplo de su padre o madre espiritual. Abraham tenía noventa años cuando Dios le dio la promesa de que sería «*padre de muchas naciones*» (Génesis 17:4). La Biblia dice en Gálatas 3:29 que los que pertenecen a Cristo son la «*descendencia de Abraham, y herederos según la promesa.*» Dios quiere que demos luz a las naciones. Por lo tanto estas «naciones» llegarán a conocer a Dios debido a nuestra influencia, serán nuestro linaje espiritual —son nuestra descendencia en el reino de Dios. Se nos ha prometido esto, porque somos hijos de la promesa. Dios quiere darnos una descendencia espiritual.

Hace muchos años llegué a ser el padre espiritual de mi amigo Bill, quien ahora es misionero en el Caribe. En una visita que hice a Barbados me contó una historia interesante acerca de esta nación isleña. Muchos de los hombres que ahora viven en Barbados vinieron como esclavos de África Occidental, específicamente de la nación de Gambia. Pero ahora, a los nativos cristianos de Barbados se les envía como misioneros a Gambia. Lo que dijo mi amigo me conmovió profundamente: «Larry, ¿te das cuenta que los nuevos convertidos en Gambia son parte de tu herencia espiritual? —Tú fuiste uno de mis padres espirituales». En la época en que fui padre espiritual de Bill yo era un joven granjero que criaba pollos y dirigía un estudio bíblico para jóvenes. ¡Bill habiá ido al mundo y capacitado a otros para ir, y los resultados de mi paternidad espiritual se multiplicaron. Yo estaba profundamente conmovido. ¡Era como si yo fuera el tronco de un largo linaje!

Reflexión

¿Cómo podemos dar a luz un linaje espiritual según Gálatas 3:29?

Día 7

Vaya a todo el mundo y deje su herencia

La promesa que tienen los hijos espirituales se extiende a todos los hijos de Dios. Él nos ha colocado en la tierra para que seamos padres y madres espirituales de nuestra generación. De esta manera viene la expectativa de que nuestros hijos espirituales tengan más hijos espirituales y así sucesivamente.

Nuestra herencia serán todos los hijos espirituales que algún día vamos a presentar a Jesucristo.«*¿Cuál es nuestra esperanza, alegría o motivo de orgullo delante de nuestro Señor Jesús para cuando él venga? ¿Quién más sino ustedes? Si ustedes son nuestro* *orgullo y alegría.»* (1 Tesalonicenses 2:19-20). Sin importar lo que usted haga —ya sea ama de casa, estudiante, obrero en una fábrica, o pastor de una iglesia, o jefe de una gran corporación— usted tiene la responsabilidad divina de dar a luz hijos, nietos y bisnietos espirituales. Usted está llamado a impartir la rica herencia que Dios nos ha prometido a los creyentes.

Si tomáramos en serio el mandato de hacer discípulos, no tomaría mucho tiempo para que toda la tierra fuera confrontada con la verdad de Jesucristo. Este principio escritural es muy simple, sin embargo muchas veces el pueblo de Dios no ha logrado obedecer la Gran Comisión. Dios nos ha encomendado su prioridad de hacer discípulos.

Dios usa el principio de la multiplicación mediante la paternidad y la maternidad espiritual. Cuando usted y yo seamos obedientes y evangelizamos a una, dos, tres, cuatro o más personas veremos que el reino de Dios se establecerá en todo el mundo. Dios quiere establecer su reino en nuestra generación mediante el principio de multiplicación gracias a la paternidad espiritual.

Si usted desea recibir más capacitación para llegar a ser un padre o madre espiritual, quizás pueda leer mi libro, *The Cry for Spiritual Fathers and Mothers*. También está disponible en DVD.[1] Ahora que ha aprendido los fundamentos bíblicos de la vida cristiana a través de la Serie *Fundamentos Bíblicos*, ¡ore para que el Señor le envíe a alguien más y pueda enseñarle lo que usted ha aprendido! Creo que el avivamiento arrollador del final de los tiempos está justo a la vuelta de la esquina. Es necesario que el pueblo de Dios esté alerta y listo para dar cabida a la gran cosecha. Los padres espirituales debemos estar listos para obedecer su llamado y poner a jóvenes cristianos bajo sus alas.

Somos recipientes del Espíritu Santo y sabemos que Dios va a derramar su Espíritu en nosotros para que fluya hacia otros. Hechos 2:17 nos dice: *«Sucederá que en los últimos días,» dice Dios, «Derramaré mi Espíritu sobre todo el género humano. Los hijos y las hijas de ustedes profetizarán, tendrán visiones los jóvenes y sueños los ancianos».* Algún día usted y yo estaremos parados delante del Dios vivo. Cuando lo haga no quiero hacerlo solo ¿Qué sucederá con usted? ¡Parémonos acompañados de una multitud de hijos, nietos y bisnietos espirituales y su futuros descendientes! El

Señor quiere darle una herencia espiritual. ¡Dios le ha llamado a ser padre y madre espiritual!

Reflexión

¿Cuál es nuestra herencia espiritual? ¿De qué forma ayuda a obedecer la Gran Comisión el tener un padre espiritual y el llegar a serlo?

Nota

1. Larry Kreider, *The Cry for Spiritual Fathers and Mothers*, (Ephrata, PA: House to House Publications, 2000). Vea la página 64.

Larry Kreider, autor

Larry Kreider presta actualmente servicio como Director de la Comunidad Cristiana Internacional (DOVE Christian Fellowship International: DCFI), una red de iglesias diseminadas por todo el mundo. DCFI ha empleado con éxito la estrategia del Nuevo Testamento para edificar la iglesia «de casa en casa», apoyándose en los grupos pequeños, por más de dos décadas.

Como fundador de DCFI, Larry sirvió anteriormente 15 años como primer pastor de la DOVE Christian Fellowship International en Pennsylvania, que creció de una célula sencilla hasta alcanzar más de 2.300 en 10 años. Actualmente, los creyentes de DCFI se reúnen en más de 150 congregaciones en Estados Unidos, América Central y del Sur, Caribe, Canadá, Europa, África y Pacífico Sur.

Larry persigue la visión de edificar una iglesia establecida en grupos pequeños en todas las naciones del mundo. El clamor de su corazón es que muchos creyentes en todo el mundo se extiendan de casa en casa, de ciudad en ciudad y de país en país, en tanto se capacitan y enseñan a otros a hacer lo mismo. Él acentúa la necesidad de que los creyentes sean padres y madres espirituales para instruir a la próxima generación.

Larry es expositor principal en conferencias dictadas en los Estados Unidos y otros países, y viaja a menudo para enseñar a muchos líderes cristianos a hacer discípulos, fiel a la idea de los grupos pequeños.

Larry ha escrito más de 25 libros, incluida la recién aparecida serie de fundamentos bíblicos, en inglés y en español, *El descubrimiento de las verdades básicas del cristianismo y Edifique su vida sobre las verdades básicas del cristianismo.*

Él y su esposa LaVerne llevan casados 37 años, tienen cuatro hijos, tres nietos y residen en Lititz, Pennsylvania.

Información para solicitar conferencias del autor
Larry Kreider, Director Internacional
Confraternidad Cristiana Internacional de «DOVE»
11 Toll Gate Road, Lititz, PA 17543
Tel: 717.627.1996 Fax: 717.627.4404
www.dcfi.org
LarryK@dcfi.org